Poemas
DE VIAGENS

Poemas
DE VIAGENS
Cecília Meireles

Apresentação   Luiza Lobo
Coordenação Editorial   André Seffrin

São Paulo
2017

© **Condomínio dos Proprietários dos Direitos Intelectuais de Cecília Meireles**
Direitos cedidos por Solombra – Agência Literária
(solombra@solombra.org)
1ª Edição, Global Editora, São Paulo 2017

Jefferson L. Alves – diretor editorial
Gustavo Henrique Tuna – editor assistente
André Seffrin – coordenação editorial, estabelecimento de texto, cronologia e bibliografia
Flávio Samuel – gerente de produção
Flavia Baggio – assistente editorial e revisão
Jefferson Campos – assistente de produção
Fernanda Bincoletto – revisão
Tathiana A. Inocêncio – projeto gráfico

A Global Editora agradece à Solombra – Agência Literária pela gentil cessão dos direitos de imagem de Cecília Meireles.

Obra atualizada conforme o
NOVO ACORDO ORTOGRÁFICO DA LÍNGUA PORTUGUESA.

CIP-BRASIL. CATALOGAÇÃO NA PUBLICAÇÃO
SINDICATO NACIONAL DOS EDITORES DE LIVROS, RJ

M453p

    Meireles, Cecília, 1901-1964
      Poemas de viagens / Cecília Meireles; apresentação Luíza Lobo; coordenação editorial André Seffrin. – 1. ed. – São Paulo: Global, 2017.

      ISBN 978-85-260-2260-7

      1. Poesia brasileira. I. Lobo, Luíza. II. Seffrin, André, 1965-. III. Título.

16-29761   CDD: 869.91
                                 CDU: 821.134.3(81)-1

Direitos Reservados

global editora e distribuidora ltda.
Rua Pirapitingui, 111 – Liberdade
CEP 01508-020 – São Paulo – SP
Tel.: (11) 3277-7999 – Fax: (11) 3277-8141
e-mail: global@globaleditora.com.br
www.globaleditora.com.br

Colabore com a produção científica e cultural.
Proibida a reprodução total ou parcial desta obra sem a autorização do editor.

Nº de Catálogo: **3848**

Sumário

As viagens como individuação – *Luiza Lobo* 9

Old Square 17
New Orleans 19
Balada a Philip Muir 21
USA – 1940 23
Corrida mexicana 53
Casa de Gonzaga 55
Canção para Van Gogh 57
Desenhos da Holanda 59
Brisa da beira do Minho 62
Queluz 63
Poema entrelaçado 65
Alentejo 67
Três canções da Espanha 68
Imagem 71
Paris 72
Fênix marroquina 73
Tarde, inverno, lua 75
Havia, na Suíça, a linda menina 76
Os dois lados do realejo 78
Pesca do arenque 79
Desenho 80
Interlúdio terrestre 81
Catedral 83
Meninos líricos 85
Festa 87
Paisagem com figuras 89
Shakúntala 91

Infelizmente, falharam as fotografias 92
Castelo de Maurício..93
Estudo de figura 96
Cântico à Índia pacífica 97
Dois apontamentos para Fayek Niculá......................................99
Pastoral I...101
Pastoral II 103
Pastoral III 104
Pastoral IV 105
Pastoral V..106
Pastoral VI...108
Pastoral VII..109
Pastoral VIII..110
Canção fluvial..112
Festa dos tabuleiros em Tomar 113
Um soldado santo 114
Pedras de Jerusalém..116
Saudação a Eilath..117
Rua dos rostos perdidos 121
Os chineses deixaram na mesa...122
Rios 123
O aquário..124
Sobre as muralhas do mar..126
Bela cidade de prata, pálida..127
Dança cósmica..129
Tempo..131
Pequena suíte..132
Breve elegia ao Pandit Nehru...135

Cronologia 137
Bibliografia básica sobre Cecília Meireles 143
Índice de primeiros versos...149

As viagens como individuação

Poemas de viagens (1940-1964) é um livro póstumo de Cecília Meireles, considerada pela crítica a maior poeta brasileira do século XX. Alguns dos poemas são contemporâneos de outras obras que ela publicou em vida, como *Viagem* (1939), que recebeu o prêmio Olavo Bilac da Academia Brasileira de Letras em 1938, e seu belíssimo *Poemas escritos na Índia* (1953). Até mesmo pelos títulos, pode-se perceber que o tema "viagem" é contínuo em sua obra.

Na verdade, a poeta pode ser inteiramente interpretada sob o ângulo das viagens, tantas são as referências, as imagens e os símbolos relativos a elas, seja no plano da verticalidade do imaginário, seja no da horizontalidade concreta. Cecília ministrou aulas nos Estados Unidos, em 1940, visitou diversas vezes Portugal, indo também a países como Espanha, França, Bélgica, Holanda, Suíça, Itália, Marrocos, Israel, Egito e Índia, lugares que inspiraram este livro.

Este tema viagem está estreitamente ligado a seu passado, pois a avó materna, Jacintha Garcia Benevides, açoriana, da ilha de São Miguel, relatava-lhe histórias de suas terras, rememorativas do grande ciclo imperial das navegações portuguesas. Foi ela quem a educou, uma vez que o pai faleceu três meses antes de seu nascimento e a mãe quando contava apenas três anos. Mas na casinha do Estácio, ao pé do morro de São Carlos, onde nasceu, Cecília também convivia com a babá Pedrina, que dramatizava as lendas brasileiras e afirmava ter conhecido o Saci-Pererê e a Mula sem Cabeça pessoalmente.

No imaginário da escritora, viajar era libertar-se, voar, encontrar seus entes queridos e já falecidos: os pais, o primeiro marido, a ama, a avó. Por isso, em seus primeiros livros, as viagens eram representadas por naufrágios, mortes e melancolia, em cenas ambientadas na natureza: ondas, vento, mar.

Deve-se ressaltar que as viagens também constituíram um tema importante para a afirmação feminista no século XX. O primeiro romance de Virginia Woolf (1882-1941) se chamava *A viagem* (*The voyage out*, 1915), e foi publicado quatro anos antes do livro de estreia de Meireles, *Espectros* (1919), quando a poeta contava 18 anos. Nessa viagem de navio rumo ao exterior, a jovem Rachel encontrou o amor em terras da América Latina. *Orlando: uma biografia* (1928) – obra que Cecília Meireles traduziria vinte anos depois – também retrata uma viagem de navio feita pela heroína, tanto no eixo da horizontalidade espacial, desde as estepes da Rússia até as ruas de Londres, quanto no da verticalidade temporal, desde o Renascimento até o século XX. Já em seu livro-manifesto *Um quarto que seja seu* (*A room of one's own*, 1929), Woolf afirmava ser fundamental para a mulher conquistar o próprio espaço a fim de galgar sua autonomia financeira e, assim, escapar das limitações sociais.

Foi isso que aconteceu com Cecília, que pode ser considerada feminista por ter exercido o jornalismo diário, publicando artigos sobre educação e folclore comparado, principalmente após a morte do primeiro marido em 1935, o artista gráfico português Fernando Correia Dias, que lhe deixou três filhas. (Casou-se em segundas núpcias, em 1940, com o engenheiro agrônomo Heitor Grillo.) Em seus artigos jornalísticos chega, inclusive, a se opor frontalmente à ditadura de Getúlio Vargas, que queria introduzir o estudo religioso nas escolas públicas. Também trabalhou na Universidade do Brasil de 1936 a 1938, e recebeu o título de Doutora *Honoris Causa* da Universidade de Nova Delhi, em 1953. Dominava seis línguas e, após sua morte, foi-lhe concedido, em 1965, o Prêmio Machado de Assis da Academia Brasileira de Letras, pelo conjunto da obra.

Entre 1922 e 1927 Cecília participou do grupo literário da revista *Festa*, fundada por Andrade Muricy e Tasso da Silveira, com tendência católica e espiritualista, que propunha um retorno ao simbolismo. Aproximou-se, também, dos grupos das revistas *Árvore Nova* e *Terra do Sol*, esta de Tasso da Silveira. Dessa vivência reteve a tendência espiritualista e neossimbolista, que a crítica associa à influência da poesia de Cruz e Souza. Depois disso, viveu sempre distanciada de grupos, movimentos e da vida literária.

No cenário brasileiro, havia poucas poetas reconhecidas pelo público e pela crítica, como procurei demonstrar em meu *Guia de escritoras da*

Literatura Brasileira.[1] As mais significativas eram Gilka Machado, desde *Cristais partidos* (1915), tão repudiada pela crítica patriarcal, devido ao sensualismo de suas imagens poéticas, por mais imaginárias que fossem; e Adalgisa Nery, jornalista e poeta, por suas atitudes ousadas. A poesia de Cecília está mais próxima da lírica leve, pessoal e espiritualista da mineira Henriqueta Lisboa, e nada fica a dever a uma Sylvia Plath ou a uma Marianne Moore.

Em *Baladas para El-Rei* (1925), *Romanceiro da Inconfidência* (1953) e *Crônica trovada* (1965), Cecília demonstra sua capacidade de deslocar o foco do lirismo subjetivo para uma linguagem mais objetiva, descritiva e histórica da realidade, plenamente concretizada neste *Poemas de viagens*. O livro também se enquadra perfeitamente na terceira fase do modernismo, libertando-se do libelo de neossimbolista que a crítica sempre lhe atribuiu.

Os poemas apresentam uma dimensão universal e intercultural mais ampla do que os da primeira parte da sua obra. Cecília continua exímia versejadora, mas já não se prende tanto à métrica e à rima do cancioneiro medieval português, como em *Amor em Leonoreta* (1951), baseado em Amadis de Gaula, ou das baladas e cantigas da tradição popular, com quadras em octossílabos e redondilha maior, como em "Modinha", de *Vaga música* (1942). Seus versos se libertam de certa rigidez do passado, e a autora cria estrofes variáveis e versos brancos, em geral com assonâncias em lugar das rimas fixas tradicionais. Em "USA – 1940", datado de 1942, chega mesmo a introduzir o poema narrativo, como uma variante do poema em prosa, raramente praticado no Brasil. Em Drummond há pelo menos três exemplos famosos: "O caso do vestido", "A serra do Rola-Moça" e "O desaparecimento de Luísa Porto".

As cenas vislumbradas, à medida que avança em suas viagens num mundo mágico e desconhecido, são transformadas em vívidas imagens descritivas. Ainda há referências a águas e navegação, como o rio Mississipi, e, em "Rios", o Hudson, que "Poderia ser o Ganges, o Eufrates,/ ou mesmo o modesto arroio que passa pela minha rua."// "Há uma água que corre constantemente/ em redor do que sonhamos/

---

[1] LOBO, Luiza. *Guia de escritoras da Literatura Brasileira*. Rio de Janeiro: Eduerj/Faperj, 2006.

e canta o que perdemos."[2] Na Índia, ela exalta sua "Dança cósmica", seu "Tempo" próprio, e canta a "Índia pacífica",[3] com a aldeia que rescende a incensos. Em Israel, a sinestesia de som e cor circunda a cidade de "Kinnereth, cítara azul de água/ e som de brisa e azul distância."[4] Neste livro, Cecília descortina uma visão do futuro e impõe a luz solar à *Solombra* (1963) melancólica e dionisíaca que assombrava o seu passado, em imagens nostálgicas de naufrágios e mortes, fossem reais ou simbólicos.

Os mais aclamados poemas do livro, e plenamente modernistas, são "USA – 1940", datado de agosto de 1942, "Old Square", datado de 1940, New Orleans, e o seguinte, intitulado "New Orleans", sem data. No intertexto de palavras estrangeiras – em espanhol, inglês, francês – obtém um efeito intercultural: "Harlem noturno,/ com os pobres negros/ pelas escadas:/ – de um lado, o Congo,/ e, do outro, Hollywood...".[5] Todo escrito em versos brancos e em quadrissílabos, mas com estrofes de tamanho variável, esse poema é um *tour de force*, ao longo de suas trinta páginas, que nos lembra Eliot e Pound.

A descrição das varandas "rendadas" de Nova Orleans realiza o que Eliot definiu, no seu famoso ensaio "Hamlet e seus problemas", como "correlato objetivo", a "única forma de expressar a emoção em forma de arte",[6] que ocorre quando a emoção subjetiva encontra um correlato na realidade circundante. Essa identificação simbólica se dá igualmente quando Cecília descreve o mundo como pura música. Talvez sem o perceber, pratica a tese simbolista de René Ghil, que tanto influenciou Mário de Andrade, de que poesia é música. E Cecília sempre buscou unir a poesia à música, como indicam os títulos *Vaga música* (1942), *Canções* (1956) e *Cânticos* (1981).

---

[2] MEIRELES, Cecília. Rios. In: _____. *Poemas de viagens*. São Paulo: Global, 2016. p. 123.
[3] Idem. Dança cósmica. Ibidem. p. 129.
[4] Idem. Pequena suíte [I – Kinnereth]. Ibidem. p. 132.
[5] Idem. USA – 1940. Ibidem. p. 48.
[6] ELIOT, T. S. Hamlet and his problems. In: *Collected essays*. New edition. New York: Harcourt, Brace and World, 1964. p. 121-126. Cit. p. 124.

O brilho sugerido pelo poema "Bela cidade de prata, pálida" (1960), que jamais saberemos qual é – talvez Jerusalém – sob a "lua de ronda", na noite "diáfana e compacta", entre "a líquida cerca do rio correndo",[7] concretiza a espiritualidade presente em toda a obra da autora, que já foi comparada a Platão por Paulo Rónai[8] e definida como de raiz "metafísica" ou "mística" por Nuno de Sampaio.[9] *Poemas de viagens* ocupa o ponto de convergência entre o eu poético e o "correlato objetivo" das águas, das cores, das pessoas e das cidades que visitou, num contínuo movimento de encontro do eu com o mundo que Carl Gustav Jung denominou, em *Psicologia e alquimia*,[10] processo de individuação.

Luiza Lobo

---

[7] MEIRELES, Cecília. Bela cidade de pátria, pálida. Op. cit. p. 128.
[8] RÓNAI, Paulo. As tendências recentes. Reprod. de "Mar absoluto". In: Perspectiva, Belo Horizonte, fev. 1947. Reprod. como "As tendências recentes". In: Cecília Meireles, *Poesia completa*. Rio de Janeiro: Nova Aguilar, 1994. p. 63-65.
p. 63: "O mar tangível e verdadeiro está para o seu *Mar absoluto* como os objetivos da realidade para as ideias de Platão."
[9] SAMPAIO, Nuno de. O misticismo lírico. Reprod. de "O purismo lírico de Cecília Meireles", in: *O Comércio do Porto*, Porto, 16 ago. 1949. Reprod. como "O misticismo lírico". In: MEIRELES, Cecília. *Poesia completa*. Rio de Janeiro: Nova Aguilar, 1994. p. 60-63.
p. 63: "Julgo, porém, o seu metafisicismo caso poético isolado pela afinidade com a raiz mística e nítido afastamento da raiz filosófica [...]."
[10] JUNG, Carl Gustav. *Psychologie et alchimie*. Paris: Éditions Buchet/Chastel, 1970. p. 448-449.

POEMAS
DE VIAGENS

Old Square

Ai, pelo Old Square, ai, pelo Old Square,
– que ainda se chama Vieux-Carré –
Ai, pelo Old Square, que cores bonitas!
São grades de renda, são flores, são fitas,
ruínas e fuligem de antigo buquê.

Os meninos negros rebolam nas ruas:
carapinhas sujas, barriguinhas nuas,
brincando em banto, mas falando inglês.

Em cada esquina um *beauty-shop* desajeitado,
com xampu, manicura, penteado,
– mas onde as deusas, que não vês?

Ai, pois no Old Square, ai, pois no Old Square
gostava de viver um mês.

No sótão azul e verde, que está caindo aos pedaços,
negras debruçadas nos braços
fazem palavras americanas especiais.

Certas entradas explicam: *Colored men* – pouco me importa.
Para este mundo serve qualquer porta...
Todas levam a Deus e a tudo mais.

A igreja de Saint Louis tem túmulos e santos.
Andam turistas e cicerones pelos cantos,
esgravatando o muro e o chão.

Do outro lado há um judeu, poeirento e alfarrabista,
que tem livros, estampas, folhas de velhas revistas,
tratados de Botânica e manuais de religião.

Ai, pelo Old Square, ai pelo Old Square,
quem passasse todo o verão!

Quem o passasse aqui, mirando a loja da outra esquina,
com a Virgem do Perpétuo Socorro na vitrina
e muitos santos em tais molduras que se crê

ser todo o céu das mesmas rendas caprichosas
destas varandas, onde o ferro se abre em rosas,
destas varandas do Old Square, de crochê...

São Luís, o rei de França, deve andar bem pensativo
de ver Jackson, as flores... Ser tão vivo
na terra, nas ruas, na memória da gente daqui.

Luisiânia francesa...
A catedral aberta em pleno dia: aberta e acesa.
E uma negra que ao longe chama o seu negrinho: "Lu... iii!"

Chama o negrinho e vai regar as flores
de um canteiro com plantas multicores.
Entre os seus negros dedos, há uma pedrinha num anel.
Uma pedrinha azul como um miosótis, orvalhada...
Escadas contra incêndios... Ah, Old Square, não és mais nada
que um sonho preso com palavras num papel...

                                               New Orleans, 1940

New Orleans

Oysters. Oysters. Oysters.

Eu vim pelo rio, porém sou do mar.
Casas de tijolo com escadas de incêndio,
varandas de renda, que me podeis dar?

Oysters. Oysters. Oysters.

Negrinhas de arame que falais francês,
penteai-me os cabelos, esmaltai-me as unhas,
tornai-me formosa por mais uma vez!

Oysters. Oysters. Oysters.

Bouillon. Écrevisses. Sauterne. Ai de mí!
que busco franceses de duzentos anos
e acho só *la carte d'Antoine. Merci.*

Oysters. Huîtres. Ostras.

Derramai as flores das festas! E a flor
da lua no rio coalhado de barcos...
– Alô, Mark Twain! – ... barcos a vapor.

Oysters. Oysters. Oysters.

Eu navego a vela, muito devagar...
Da tolda examino campos, catacumbas...
hotéis – essas coisas que não há no mar.

Oysters. Oysters. Oysters.

Eu leio os letreiros e vou para além...
A mulher que vedes é marujo, apenas...
nem abre as ostras, nem busca as pérolas e nem...

Oysters. Oysters.

Balada a Philip Muir

Philip Muir cruza o Atlântico em seu navio.
Nem almirante nem corsário: copeiro inglês.
Pele de nácar, pintas de ouro, cabelo ruivo,
Philip Muir, de brancas unhas, correto e esguio,
é um puro lorde, pelo silêncio e pela altivez.

Diz-me: *Good evening,* endireitando-me a cadeira.
Espera as ordens. Não fita os olhos em ninguém.
Após dois dias, conhece todos os meus gostos
à mesa. E apenas corre com o olhar a lista inteira
da sopa à fruta. Nunca se esquece do *chow mein.*

Do lado do Norte, há sangue nas águas do Oceano.
E do lado de Leste. E nas terras. Sangue inglês.
E por baixo do mar andam as sombras sem passos...
Philip Muir, no meio do desastre humano,
serve champanhe, hoje. Amanhã, seu sangue, talvez.

Diz-me: *Good night,* endireitando-me a cadeira.
Mais tarde, na noite, acende seu cachimbo e vem
ver as estrelas nascendo do amargo horizonte,
– ilhas dormentes, que o vento embala a noite inteira...
e muitas cenas – tão diferentes! – mais além.

Nenhum soldado será mais grave nem mais frio
que Philip Muir, se ainda chega a sua vez.
Coberto de lama, sangue, injúria, dor e morte,

Philip Muir partirá num outro navio,
navio de nuvem, mas com mastros de altivez.

Nem duque nem lorde: um simples homem da Britânia.
Nem almirante nem corsário: copeiro inglês.

                                    1941

USA – 1940

Olhei as águas
do Mississípi,
turvas e grossas,
Cristina Christie.

Por velhos bairros,
andei mirando
coisas passadas –
livros já lidos,
santos já vistos,
poucas estátuas,
alguns mendigos,
velhos soldados
desiludidos,
negros sonhando
sapatos de ouro,
Moisés e Elias.

Rubras cerejas
e limonadas
todos os dias.

Vi catacumbas,
vi cemitérios
com suas lápides
enfileiradas
(biscoitos brancos
um pouco grandes...).

E o hotel imenso
com moças velhas,
de luvas roxas
e amarelas,
mascando goma,
cruzando as pernas,
pensando sempre
na primavera...

No entanto, o inverno,
o inverno existe,
com formosuras
brancas e etéreas,
Cristina Christie!

Andar, andava;
com 15 *cents*
comprava coisas
muito diversas:
ovo, presunto,
cinto, revista...
Meninos, muitos,
nem 5 *cents*
para a alegria
do *peppermint!*

E as moças velhas
e as velhas moças,
milhões de dólares,
dentes postiços,
perucas de ouro,
peles da Rússia,
pérolas persas,

sedas da China,
diamantes d'África
e do Brasil.

No fundo do ônibus,
mulatos feios
e negros calmos,
olhando os brancos.
Olhando-os, quietos.
Tive saudades
de não ser preta,
negra retinta,
dizer Castro Alves
ao microfone.
Fraternidade,
fraternidade,
como o meu sangue
todo oprimiste!

Andar, andava:
terra da América,
muros da França,
vozes do Congo,
Cristina Christie.

Ouvir, ouvia
a noite inteira
guincho estridente
de saxofone,
no *night club*.
As louras *girls*,
louras e histéricas,
feitas de Espanha,

Holanda e Itália,
França e Inglaterra,
crispavam gritos
com o *sex appeal*
dos puritanos,
cálculos certos
de teosofistas,
dúvidas frias
de ateus precoces,
serena lógica
de protestantes,
volúpia extrema,
final pecado
de neocatólicos.

Ouvir, ouvia
a noite inteira:
gritos de nervos
de uísque e gim.

Andar, andava
entre sonâmbulos
que compram roupa,
pedem esmola
e vendem coisas
nunca sonhadas
de celofane,
de falso couro,
de prata falsa,
– penas-tinteiro,
anéis de noivo,
relógios, rádios
a prestações...

Dizem que é a força
da igualdade.
Mas eu pensava:
quem sonha tantas
coisas estranhas,
inventa vidas
mais complicadas?
Que usina imensa
cria e devora
objetos, sonhos,
vidas sem fim?
Do céu à terra,
que diferença!
E em que consiste
o gênio humano,
Cristina Christie!

Andar, andava
por muitas ruas
de San Antonio.
Índia amorosa
dava recados
aos que partiam
para a fronteira:
"Dile a abuelita
que no me olvide!
Que pronto escriba,
y que nosotros
vamos ahorita..."
Tinha um sorriso
de dois mil anos
e uma tristeza
da mesma idade.

Essa doçura
de povo antigo,
paciente e amarga,
também sentiste,
entre vitrines,
bancos e tédios,
Cristina Christie?

Olhar, olhava
vestidos, blusas,
junto com os pretos
e mexicanos
que suspiravam,
fechando os olhos.
Cada semana,
novos vestidos,
suspiros novos.
Como se os deuses,
como se as deusas
não mais fizessem
que bolsos, pregas,
botões, fivelas...

Comer, comia
frangos assados,
perna enfeitada
de papelote.
Vinte talheres
de cada lado.
Como se os deuses,
como se as deusas
não fabricassem

mais que colheres,
garfos e facas...

Toda a riqueza
do antigo Oriente
vertia aromas
e tentações:
canela, cravo,
pimenta, mel,
siri, damasco...
E, em copos hirtos,
o chá gelado
da temperança...

Haver, havia
damas de clubes,
ágeis e magras
salvando o mundo
todos os dias.

Discutem festas,
publicam livros,
inventam doces,
vigiam atos
do Presidente...
E o azul da tarde
embala no alto
alegres, claras,
lindas bandeiras:
de um lado, as riscas,
de outro, as estrelas...

Dormi num quarto
de hotel, em Dallas.

Chapéus, carteiras,
luvas e peles
pelas vitrines
dos corredores.
Sonhei com ursos
milionários,
vendendo o corpo
para as indústrias;
ursos casados
com grandes lontras,
proliferando
mantos, chapéus...
E os meus vizinhos
a noite inteira
riam-se, tontos,
acompanhados
do som dos copos
contra as bandejas...

Álcool da noite,
fatal convite.
Fora, as estrelas
não se avistavam,
Cristina Christie!

Cruzar, cruzava
as ruas negras
de São Luís:
tijolo e fumo.
Corria a chuva
sombria, densa
como café.

Pêssegos de ouro
ainda estou vendo
brilhar nas portas;
brancos vestidos
detrás dos vidros
brilhando estão:
vestidos brancos
de formatura,
riso de um dia
de mocidade...

Homens, mulheres,
dentro de capas
de celofane,
formam paisagens
de sabonete
nas pardas ruas
de cinza e lama.

E eu caminhando
pelo virente
Jardim das Plantas:
e eu debruçada
para o brilhante
mosaico vivo,
o róseo-rubro-
verde-amarelo-
azul e roxo
mosaico enorme
dos seus canteiros...
Indo por entre
paredes verdes

e perfumosas
de cercas vivas,
louca por uma
haste de cedro,
seda de trevo,
folha cheirosa
para lembrança
da terra, e amor.

E o guarda sempre
em cada canto,
com olho agudo
de detetive,
e a caderneta
das multas pronta,
vigiando os gestos
sentimentais
da minha mão!
Guarda infeliz,
que desconheces
este segredo
do amor que mata
a flor querida,
e em sentimento
logo a eterniza!

Vejo meu sonho
lírico e triste:
meu beijo solto
voando nas folhas,
voando nas flores...
Cristina Christie!

Muita riqueza:
luzes, janelas,
cristais, portões.
Halo inviolável
das grandes casas
dos milionários.
O rei do Rubro,
o rei do Negro,
e o Imperador
do Verde e Azul...
São Luís de França
mirando aquela
cidade estranha,
na tarde em cinza,
com a chuva imóvel
no alto das nuvens.
Dedo do guia
mostrando o lado
das casas pobres:
lá onde os negros
ficam sentados
com muitos filhos,
avós, parentes,
e conhecidos,
olhando a lua
que vem chegando,
com precaução...

Passar, passava
pelo azulado,
claro Potómac.
Lincoln sonhava

entre os seus mármores.
E os namorados,
ao pé das águas
dos frios lagos,
com luar e peixes
suaves flutuando,
cantarolavam
foxes, deitados
pelos degraus...

(Tudo são sonhos:
a liberdade,
o cativeiro,
o amor de todos,
o amor de um só...)

As cerejeiras
não tinham flores,
mas fina sombra
de baça pérola
descia, à tarde,
o pó macio
do tempo gasto
da estrela à areia...

E não me esqueço
da luz tão branca
desses palácios
que atravessava
na noite muda.
Leite divino
dos globos alvos,
pensando luas

puras, redondas,
imovelmente...

Rompe a beleza
densos caminhos,
e abre-se em flor
à superfície
de terras e almas,
Cristina Christie.

Virgínia espessa
de matas verdes...
Como Longfellow
anda conosco
nas tardes densas
por entre as frondes!

Andar, andava,
buscando idílios
do velho Cooper...
Onde, índios graves,
de longas plumas
rojando a terra?
– longos cachimbos
formando nuvens,
– e sortilégios
pelos colares
entrelaçados...?
Presença viva
do imaginário,
do sonho humano
que no pré-mundo
nutria os deuses...

Só o sonho existe,
só o sonho é eterno,
Cristina Christie...

De madrugada,
achei New York
adormecida
nos altos braços
férreos das pontes,
– os pés no porto
junto aos guindastes –
resfolegando
pelos narizes
das chaminés.

O homem penúltimo
ia servindo
ao homem último,
aquela noite,
hamburguer quente,
café com leite,
na última esquina,
no último bar...

Noite sem vozes:
noite gravada
no céu, na terra,
como água forte.
Desenho de aço
das altas torres,
dos parapeitos,
dos viadutos,
de elevadores,

de arranha-céus...
Noite noturna,
fuligem triste,
graxa cansada,
e as manchas ígneas
de anúncios verdes,
azuis e rubros,
polichinelos
saltando no alto
das construções...
Ruas de treva.
Mulher nenhuma.
Gato nenhum.
Janelas negras,
portas fechadas.
Calçada escura.

Tudo dormindo,
menos o bar
onde o homem último
extingue a fome
e o homem penúltimo
dá de comer
e o olho da máquina
registradora,
insone, ativa,
contempla a cena
e aguarda o fim,
com teclas fáceis
de raciocínio
e ávida boca
sem oclusão.

Oh! leitos fofos
de hotéis perfeitos!
Chorai comigo,
plumas e sedas!,
o sono amargo
das desventuras,
em pedras frias,
ao Sul, ao Norte,
a Leste, a Oeste
do grande mundo
que é conduzido
entre as estrelas...

Quinta Avenida
com canivetes
de 20 dólares,
capas de pele
de mais de mil...
Fragor das ruas
cheias de pressa.
Tropel dos ônibus,
– torre de Pisa
fora de prumo –
com os passageiros
que oscilam sobre
jornais, charutos,
trusts, empresas,
sonhos de nafta,
câmbio, eleições...

Igreja negra,
suja do luto

das turvas pugnas
industriais.
Poluída igreja,
ó *Lord*! ó *Lord*!
onde persiste
a chama eterna
da âncora acesa...
Cristina Christie!

Judeus barbudos,
judeus imberbes,
morenos, louros,
ruivos, sardentos,
aglomerados
por Wall Street:
– todos à espera
das profecias
dos grandes Bancos
de arquissuntuosas
portas lavradas,
com guardas sérios,
solenes, gordos
como paxás.

Onde Isaías,
Jó, Ezequiel
e Jeremias?
Nenhum que pregue,
que chore e grite,
mostrando os tempos
alucinados,
mordendo os punhos,

vertendo sangue,
puro e inspirado.
Cristina Christie!

Chapéu de feltro,
casaco sujo,
roto na espádua,
– ai, longas filas
desenroladas
diante da agência
de empregos... Turba
de olhos metidos
nas negras lajes
do negro chão...
Táxis e táxis,
moças ruidosas,
em leves passos
de periquito,
– meias de vidro,
leves sandálias
com laços crespos
de borboleta...

Meninas ávidas
mirando roupas,
sonhando dentro
de róseas malhas
seus corpos brancos
feitos de tênis
e gramofone
e vitaminas...
Imã do *ersatz*

com muitas formas:
benevolência
da utilidade;
glória do prático.
Derrota súbita
da poesia...
Department stores
de vinte andares.
Anjos de vidro
e aço, ascensores
deslizam suaves,
atravessando
mundos de roupas
aconchegadas
umas nas outras,
legiões sem vida
de corpos frouxos
que esperam a hora
de seu destino
pelos cabides...
E os visitantes
fazem, desfazem
cálculos rápidos
no quadro-negro
do pensamento,
e a vida humana
é devorada
por cinco jardas
de qualquer pano,
um broche falso,
um feltro e um véu.

Lânguidas coisas
que vi, que viste,
deixaram certa
névoa de lágrimas
pelos meus olhos,
Cristina Christie.

Cheiros e cores
da China Town!
Grandes legumes
de cara exposta
à luz do dia,
que se embaraça
nos caracteres
de cada porta,
pelos cartazes,
pelos letreiros,
pelos jornais...
Cabeça preta
das criancinhas
pela calçada,
erguendo às vezes
para o turista
seu olho oblíquo
de amêndoa negra.
Lojas do sonho
desnecessário:
l a n t e r n a s ! onde
Edson vive
a todo instante
num vidro tênue!
l e q u e s ! na terra

em que o *air conditioned*
reina tranquilo!
no mundo do ágil
ventilador!
p i j a m a s feitos
de seda autêntica,
dourado escândalo
aristocrático,
aparição
de imperadores
e mandarins,
lembrança aérea
das fiandeiras
da Via Láctea...
... diante da massa
densa e plebeia
de tantas fibras
sem *pedigree,*
vindas de intensos
laboratórios,
filhas de estranhas
fórmulas químicas,
urgentemente
criadas, debaixo
da ordem do dólar...!
C a r v ã o cheiroso,
oferta aos deuses
de aroma e fogo
inesquecível
como o perfume...
e, como cinza,
sem duração...

Ah! breve rosa
de sonho e nuvem!
aqui se queimam
carvões e óleos
de acre fumaça,
que deixa largas
máscaras negras
na arquitetura,
no rosto humano,
e até nas altas
margens do céu...

Ah! China Town!
Débil vozinha
doce e amarela,
detrás de biombos,
vendendo brancos
marfins, e sinos
cheios de chuvas
agudas, de áureo,
límpido som,
– enquanto ao longe
morrem milhares
de compatriotas
desajustados,
e outros milhares
tranquilamente
são concebidos
para morrer,
sem nome ou queixa,
e sem loucura,
só com o sorriso

feito de um barro
de dez mil anos,
e modelado
por três arcanjos
de face ebúrnea:
Lau-Tseu, Gautama
e Kung-Fu-Tseu.

Poeira do Oriente
na tarde elétrica,
à hora em que as damas,
sem nenhum gozo,
sorvem chá ruivo
em Sèvres claros,
acendem alvi-
-louros cigarros,
miram diamantes
em finos aros,
falam de Londres,
e de Paris,
pensando a sério
em conseguir
volúpias árabes
de dançarinas,
nos braços que usam,
de sufragistas,
nos olhos graves
de puritanas,
no corpo magro,
ativo, casto,
de generalas
do santo Exército

da Salvação!
Ó incoerência!
Ó ambiguidade!
Ó desespero
da inteligência
no labirinto
da tarde inquieta
e enigmática
que cai das torres
nos verdes parques...

Amar, amava
jardins formosos,
coelhos de seda
e rosa e lua,
adormecidos
no fino trevo...

E as cacatuas
raivosas, vendo
zunir cinzentos
bandos de aviões.
Negros carvalhos
de fresca sombra.
Campos do Texas,
verdura imensa
por onde pascem
cordeiros tenros
de puras nuvens,
unicamente...
Flores cuidadas
como meninas,

erguendo rostos
muito românticos,
com frágeis graças
de valsa e beijo,
luz de uma noite,
lágrima e adeus.

Amar, amava
as mãos caseiras,
trabalho inglório,
o olhar sem dólar,
sonho extraviado
pela abundância.
Voz do imigrante
desorientada
pela conquista.
Êxtase simples,
antes da máquina:
o que ainda resta
do povo rude
e se enternece
sem saber como
diante das rochas,
diante das vacas,
diante das selvas,
e volta à infância
ingenuamente
recomeçada,
e estuda o mundo,
e ama a Justiça,
e crê na Lei,
e ensina o Bem.

E ao longe o Harlem
em negras sombras
perde os limites
de homens e portas,
Cristina Christie!

Meninos magros
ainda deslizam
pelas calçadas,
sobre patins.
Os engraxates
de gaforinha
contam bobagens
aos tintureiros.
Seus grossos beiços
vermelhos se abrem
como goiabas
na tarde plúmbea.
E a noite próxima
como um xarope
sombrio corre
pelo seu riso,
garganta adentro...

Harlem noturno,
com os pobres negros
pelas escadas:
– de um lado, o Congo,
e, do outro, Hollywood...
E os velhos velhos
recordam rios,
terra, algodão...

Cheiro graxoso
de caçarolas:
coco e bodum.
Father Divine
virá trazer-nos
o amor supremo?
Os olhos místicos
procuram anjos
azuis e róseos,
na escuridão.
No gramofone,
muito ordinário,
– pobre gaiola! –
pássaros de ouro
de Marion Anderson
afogam, tristes,
o último *Spiritual*.

Tudo se enrola
sobre si mesmo
negro e calado
tapete denso
de sonho inútil...
Longe, bem longe,
no *night club*,
música negra
revolve os brancos.
E os negros dormem
vendo açucenas
além dos olhos...
além das mãos...
Com longas vestes

de lantejoulas
e asas de pluma
vão caminhando
por entre estrelas,
desfalecendo
nos esplendores
de céus repletos
de saxofones
e tamborins.

Nas invisíveis
malhas do sonho,
a alma se entrega...
a alma desiste...
É peixe imóvel,
feliz e cego,
em rede frágil,
Cristina Christie!

A água no porto
se encrespa e arrulha
por entre os barcos,
trêmula e fraca.
Cachimbos acres
estão queimando
tabaco e ideias
nalgum lugar.
A Liberdade
ergue o seu facho
eterno e efêmero
no mar de trevas:
tal qual aquele

casal de pombos
leves e brancos
que eu vi batendo
as frouxas, suaves,
silentes asas
em plena Broadway,
num vão sombrio
de esquina – auréola
sobre um cifrão!

Onde os teus poetas,
que não se avistam,
sob o cimento!

Luz entre as águas
negras e várias!
(Stella Maris!)

Onde o gratuito
sonho sem horas!
(Columba Pulchra!)

Onde o que adoro
e não alcanço
na imensidade
do teu destino?
Terra espantosa!
Que alento mágico
sobre este mapa
arde e resiste,
vencendo chicles,
dólar, petróleo,
indústria, ventres,

ambição, crimes.
Cristina Cristina!
Cristina Christie!

Agosto, 1942

Corrida mexicana

Com palavras quase eruditas
e olhares muito mexicanos,
o chofer me disse que a tarde
devia ser das mais bonitas:
os touros bravos, e a toureira
tinha apenas 17 anos.

E mostrando, com certo alarde,
além dessa, outras maravilhas
de sua vida costumeira,
me disse que, depois da festa,
iria com a mulher e as filhas
a um restaurante de primeira,
comer *tamales* e tortilhas.

E tirou a mão do volante,
e torceu pra trás o pescoço,
assegurando-me que a mesa
era típica, e o restaurante
de uma fantástica limpeza.
E, por ser excelente moço,
falou-me dos pratos, do custo,
garantiu-me ser casa honesta,
onde eu poderia ir sem susto.

Era sábado, e entardecia.
Sem muito tempo para planos,
telefonei à portaria.

E o homem dos bilhetes me disse
– vendo que eu era uma estrangeira –
que ia ser um famoso dia:
os touros bravos, e a toureira
tinha apenas 17 anos.

No meu quieto quarto amarelo
pude, então, descansar tranquila,
mirando o tênue céu tão belo,
com distantes vulcões parados...
Tinha dois lugares guardados
à sombra, na segunda fila.

                                                                1945

Casa de Gonzaga

Este peso das casas, das pontes, dos arcos,
das cargas dos barcos,
das águas do rio, dos gritos das crianças,
do tempo cansado
de tanto passado,
de tantas heranças,
este peso de nomes, de datas,
de acertos e enganos,
de histórias antigas;
este peso de pesos humanos;

este movimento secular e obscuro:
– armazéns de vinho, giro de dinheiro,
trabalho, feitorias, perspectivas,
revoluções, ideias... o futuro.
Lágrimas e cantigas.

Este cais estranho, fusco, promíscuo, incerto,
de móveis águas, tristes e festivas,
a este vento soberbo, sórdido e aventureiro...

E água e pedras, ácido aroma, vela inquieta
nas ondas, e testas úmidas, e rudes brados,
tudo isto anda em redor, como oscilante, velha moldura.

Mas houve um poeta
que foi menino por estes sobrados.
Ah! daquela janela abriu-se o olhar azul para a distância,

puro olhar sem Brasis nem Áfricas, sem glória,
sem amor e sem sepultura.

Quadro sem retrato,
espelho sem rosto,
tudo isto hoje é a moldura transitória,
a oscilar em redor dessa remota infância:
– um resto de memória,
vago sonho inexato
com leves crepes de desgosto.

Canção para Van Gogh

Os azuis estão cantando
no coração das turquesas:
formam lagos delicados,
campo lírico, horizonte,
sonhando onde quer que estejas.

E os amarelos estendem
frouxos tapetes de outono,
cortinados de ouro e enxofre,
luz de girassóis e dálias
para a curva do teu sono.

Tudo está preso em suspiros,
protegendo o teu descanso.
E os encarnados e os verdes
e os pardacentos e os negros
desejam secar-te o pranto.

Ó vastas flores torcidas,
revoltos clarões do vento,
voz do mundo em campos e águas,
de tão longe cavalgando
as perspectivas do tempo!

No reino ardente das cores,
dormem tuas mãos caídas.
Luz e sombra estão cantando
para os olhos que fechaste
sobre as horas agressivas.

E é tão belo ser cantado,
muito acima deste mundo...
E é tão doce estar dormindo!
É preciso dormir tanto!
(É preciso dormir muito...)

                                        Amsterdão, 5 de novembro, 1951

Desenhos da Holanda

I. CAMPO

A alma ao nível da terra:
a alma ao longo destes campos,
docemente cinzentos,
onde róseas crianças brincam,
soltas como flores,
com ramos secos e cordeiros brancos.

A alma ao nível da terra:
feliz, entre os cascos dos cavalos,
o úmido focinho das vacas
perfumado de água e de erva.

A alma ao nível da terra:
sem visitas de anjos,
sem exigência de asas.
Também os pássaros vêm pousar na areia,
e na areia se esquecem.

A alma reduzida à sua pobreza humana,
acomodada aos outros elementos da Criação.

(Quando fomos assim?
Que antepassados recordamos,
diante desta pesada humildade?)

Deus desce, por isso, em flor,
e brilha na planície grave.

Deus converte-se em leite e fruta,
e há uma terna adoração
entre os claros olhos aquosos
e a rubra e lustrosa cereja
e a redonda maçã dura e cheirosa
e o espesso leite cor de marfim.

Deus faz sua aparição modestamente,
sem trovões nem auréolas:
em metamorfoses de terra, chuva, sol...
(Deus que ainda não é ideia,
Deus que é apenas imagem,
estampa, natureza-morta,
Deus belo, simples e bom,
caseiro como o pão que se coze
e a roupa que se fia,
Deus cotidiano:
– Padre nosso que estais no chão...)

II. FIGURA

Doce menina dos baldes,
saia azul, blusa vermelha,
que chegas ao campo branco
sob as flores da macieira,
que vais para o teu trabalho
com tamanha singeleza,
enquanto os pássaros piam
e bate as horas a igreja.
Doce menina dos baldes,
que no silêncio da aldeia
imprimes um suave passo

com teus socos de madeira:
o sol vem, sob a neblina,
esperar tua presença,
– teus olhos cor de miosótis,
teus lábios, cor de cereja –
e é um sol encarnado e ruivo
de esfumada cabeleira.
Vencendo névoas e dunas,
o sol aos teus braços chega:
e sois bem um par de noivos,
entre as redondas ovelhas,
à aragem que se perfuma
de trigo, palha e manteiga.

III. PAISAGEM COM FIGURAS

As toucas de renda,
as pesadas saias franzidas,
preto, encarnado, azul,
tarde de domingo na ilha de Marken.

Cabelos amarelos,
meninos de colo,
tudo – casas, jardins, árvores...
parece de papel recortado e colorido.

Tudo – mesmo a pequena chuva que se vê gota a gota.

As mulheres, refletidas na água,
são como as damas dos baralhos.

Seu rosto é de um desenho muito antigo.
Um desenho que não se usa mais.

Brisa da beira do Minho

A Vitorino Nemésio

Brisa da beira do Minho,
verde barca transparente
que ninguém vê pelos ares
alígera e independente,
cheia de ais e de suspiros
seguindo tão diferente
caminho!

De um lado e do outro do Minho
ponte eólea na torrente,
vão-se amores e pesares,
de saudade permanente...
Verde brisa em verdes giros
formando tão diferente
caminho!

Áureos corações do Minho
com sangue de luz ardente,
por invisíveis lugares
saltam da sua corrente...
Barca de ais e de suspiros:
instantâneo e diferente
caminho!

1953

Queluz

Fui visitar a Rainha,
livre de tanta desgraça.
Por seus jardins demorei-me,
à beira de espelhos d'água.
Nem os próprios jardineiros
saberiam quem buscava.

Dona Maria Primeira,
já tão morta e embalsamada,
por entre bosques e tanques,
veio andando, antiga e clara.
(Assim coberta de sonho,
quem de tão longe chegara,
simplesmente para vê-la,
sem ter que lhe pedir nada?)

Ah! como os séculos morrem...
Filhos, pais, tudo se apaga.
Pombal? Um nome perdido.
Perdidos Aveiro e Távora.
Lafões? Quem era? Quem fora?
Toda a corte, mera fábula.

Serenins e ladainhas?
– espuma sem qualquer praia.
As joias de seu cabelo?
– flores de gelo em vidraça.
As sedas dos seus vestidos?
– simples aragem drapeada...

A mão que, bondosa e triste,
tanto decreto assinara,
e que foi, morta e rugosa,
solenemente beijada,
menos do que as folhas secas,
pela tarde resvalava...

Dona Maria Primeira,
diáfana e clara, se afasta.
Nem o vestido da chuva
tão leve nos ares passa.
Deixa seu palácio róseo,
sobe para a sua estátua.

Os jardineiros não viam
quem perto deles andava:
– Fluida, vaga transparência
que a verde tarde arregaça.
De tudo, restou-me, apenas,
entre os cílios, uma lágrima.

Poema entrelaçado

Évora branca, marmórea, ebúrnea,
de lírios, nuvens, pombos e cisnes,
camélia, cal, amêndoa e lua,
imaculada...

        "Lembrai-vos, porém, Senhora,
        de Geraldo Sem Pavor:
        – que outros o chamem de bravo,
        nós o chamamos traidor.
        Chegou-se tão disfarçado,
        conquistou nosso favor.
        Depois de amante fingido,
        tornou-se vil agressor.
        Sobre as pedras que estais vendo,
        corre uma fita de cor:
        corre uma fita encarnada,
        sangue mouro, em tanto alvor,
        destas cabeças cortadas,
        que pesam sobre o valor
        do ardiloso comandante,
        cruel Geraldo Sem Pavor.

        Por mim não diria nada:
        mas não hei de chorar por
        esta moura, minha filha,
        que mal podia supor
        ser por ele degolada,
        dando-lhe senhas e amor?"

Évora branca, marmórea, ebúrnea,
cera, alabastro, magnólia, jaspe...
Sal das tristezas, coluna de horas
ultrapassadas...

        "Lembrai-vos, porém, Senhora,
        de Geraldo Sem Pavor!
        Vede nestas armas claras
        nossas máscaras de dor..."

                              Évora, 1953

Alentejo

Solidão, solidão que o vento navega:
– altivo barco e amarelo mar de outono.

        Alentejo, mar sem água.

Solidão, solidão que o silêncio dirige:
bússola eterna, litorais fora do mundo.

        Por onde a minha alma passa.

Solidão, solidão por onde fica a saudade:
– concha vazia, folha morta, lembrança e ausência.

        Alentejo, mar sem água.
        Onde a proa do sol se despedaça.

Três canções da Espanha

I

Entre as montanhas e o rio,
ó vastidão!
passam abraçadas
meninas vermelhas de frio,
que contam segredos, tecem esperanças,
guardam flores no coração...

As meninas enamoradas,
cheias de lágrimas e gargalhadas...
São delas as músicas e danças,
e as insônias da paixão,
e as luzes das festas, e os laços das tranças,
delas também são,
antes das portas do mundo vazio
aonde chegarão.

Deixai-as agora, lindas, abraçadas,
irem como vão,
entre as montanhas e o rio,
vermelhas de frio,
cheias de lágrimas e gargalhadas...
Ó vastidão!

II

Viajante que seguiste
teu caminho,

lembra-te de que me viste,
em campos de trigo e linho,
tão cansado, tão sozinho
e triste.

Tão grande era o firmamento
e meus braços
de tão curto movimento
e meus pobres olhos baços
erguendo imensos cansaços
ao vento.

Tu que passas, viajante,
no horizonte,
pensa em mim, que estou distante,
preso entre rebanho e monte,
sonhando a escutar a fonte
cantante.

A fonte que me consola
destes males,
que é uma lágrima que rola
– minha derradeira esmola –
para o fundo desses vales...

III

Passam as meninas, ainda felizes,
e a tarde é uma sala aberta,
com teto de nuvens, cortinas de vento,
chão de flor e rio, portas de floresta...

E as meninas giram todas cintilantes,
com laços e rendas crespos de conversas,

e o sol já se esconde, e a noite já chega,
e o orvalho já treme pelas verdes ervas.

E os grilos sussurram e as sibilas falam
e as meninas seguem mais longe, dispersas
em música, em sonho, no tempo, na vida,
em que enormes lutos? em que imensas festas?

Os cães nas fronteiras da mitologia
levantam presságios com voz grave e certa...
As meninas seguem, sozinhas, felizes,
sem medo da noite profunda que as cerca...

                                        Espanha, 1953

Imagem

Uma pobre velhinha franzida e amarela
sentou-se num banco, em Paris.
A tarde cinzenta andava atrás dela
como um triste gato de feltro e flanela,
igualmente exausta e infeliz.
Entretanto, aquela cidade, aquela
é a maior do mundo, segundo se diz.
E não só maior – mas alegre e bela:
é a cidade chamada Paris.

Por que há uma velhinha tão triste e amarela
sentada num banco em forma de X?
Nunca vi ninguém mais triste do que ela,
em tarde nenhuma de nenhum país.

Nas mãos, uma chave – de que bairro, viela,
porta, corredor, mansarda, cancela? –
com um desenho de flor-de-lis.

Paris

Lá vai o negrinho de mãos nos bolsos,
– o negrinho que namora a branca –
às 5 da tarde, entre vento e bruma,
pelos arredores do Jardim das Plantas.

Lá vai o negrinho de boina encarnada,
com dentes miúdos e claros de criança,
a contar histórias de outros continentes,
histórias de bichos e histórias de gente,
para acalentar esta menina branca...

Lá vai o negrinho que fala e que ginga,
como um símio alegre entre ramos verdes,
lá vai o negrinho, que suspira e canta,
como um crocodilo a fitar a lua,
entre as águas densas das lagoas mansas...

(Lá vai a menina, coberta de flores,
a escutar tambores, a mirar miçangas,
a pisar paludes, a arder em fogueiras,
cair nos abismos da sua garganta...)

Paris, 1953

Fênix marroquina

O garagista, meio louco,
enchia o tanque do carro
falando na noiva ausente,
uma noiva imaginária
num lugar ensolarado
para os lados de Marrocos.

Muitas pulseiras e jarros de metal amarelo.
O garagista, meio louco,
todos os dias deixava
no tanque de gasolina
essa mulher deleitosa,
tâmara, coral, tambores,
que ia conosco fechada
pelos caminhos da França,
evaporando-se ao longo
da vasta quilometragem.

Jardins de palmeiras, canções noturnas, palavras mornas.

O garagista, meio louco,
de manhã recomeçava
a encher o tanque do carro,
a falar na noiva ausente,
seus cabelos e pulseiras,
seus jarros, coral, tambores,
tâmara, palmeiras, noites,
– e ia conosco o fantasma

evaporando-se pelas
estradas louras da França...

Ia a fênix marroquina,
fênix morta e renascida:

buzina de alaúdes baços, lanternas de olhos mogrebinos.

                                                               Paris, 1953

Tarde, inverno, lua

Lua branca da Suíça,
lua de inverno, aberta
sobre os pinheiros, quase
ao nosso alcance, viva,
móvel, rugosa, fria,
que tem na boca pálida
– um recado? um pedido?
– equívoca palavra.

Lua branca da Suíça
que os vestidos arrasta
de vento e flores secas,
tão próxima e tão longe,
cega, sozinha, exausta,
e sobe e desce eternas,
silenciosas escadas.

Aparição alheia
ao mundo humano, vaga
triste e contemplativa,
entre árvores e casas,
sobre muros de bruma,
na cidade gelada.
Pelas ruas desertas,
pelas portas fechadas,
por quem suspira a lua,
muda, cega, apressada,
com mensagens secretas
de fantasma a fantasma?

Suíça, 1953

Havia, na Suíça, a linda menina

Havia, na Suíça, a linda menina
de olhos cristalinos, cabelo trançado,
na sua lojinha muito pequenina,
com prateleiras de pano encarnado,
de pano encarnado e quadriculado.

Chegavam senhores, compravam cigarros,
chegavam senhoras com muitas crianças,
paravam na loja, desciam dos carros,
– quanto chocolate! – a moça de tranças
sorria a serviço de tantas andanças.

Quem é que repara na linda menina
que embrulha e dá troco? – o povo apressado
nem vê sua loja como é pequenina,
como é seu cabelo tão fino e dourado
entre as prateleiras de pano encarnado...

De fora se pede, de dentro se entrega,
só as mãos se cruzam, como em contradanças
– a vida é uma cena apressada e cega,
com homens, mulheres, chocolates, crianças,
dinheiro, balcões, cigarros e tranças...

A vida é uma cena de vagas imagens,
com vozes e gestos para cada lado.
Ninguém vê quem parte para longas viagens,
ninguém vê quem fica num ponto parado,

não há mão nenhuma, nem rosto encantado,
nem voz, nem dinheiro, nem pano encarnado...

1953

Os dois lados do realejo

Pelo lado de cima,
o realejo é como um altar barroco,
de colunas douradas, flores grandiosas,
conchas crespas, abraço de volutas e fitas.

Pelo lado de cima,
o realejo é um pátio mágico,
onde cantam os pássaros e jorram os repuxos,
com requebros de dança
e festas de amor.

E das altas janelas voam para o realejo
pequenas moedas cintilantes,
libélulas douradas,
borboletas de prata,
pedacinhos de sol
gravitando na música.

Do lado de baixo, a rodar a manivela,
há um homem sem emprego,
que alegra a rua,
mas tem os olhos graves.

Uns olhos que viram rios de sangue
em redor daquelas casas.
Rios de guerra,
onde boiou sua gente fuzilada e sem culpa.

Pesca do arenque

Algum parente meu vai embarcar esta tarde?

Deixai-me ver as bandeiras que iluminam a praia,
as coloridas bandeiras que enfeitam a névoa!

Deixai-me sentir muito frio, muito vento,
deixai-me tremer entre a água e a areia
como um corpo de espuma.

(Nenhum parente meu vai embarcar esta tarde.
São outras viagens, noutros tempos, noutros mares...
E estou sofrendo.)

Deixai-me ver os mastros. Como são altos!
Deixai-me ver os barcos. Como são compridos!

(Muito longe, os arenques estão nascendo nas mudas ondas...)

E este é o nosso convívio, no mundo!

Holanda, 1953

Desenho

A senhora tão séria sentou-se no trem
de Haia para Amsterdão.

Senhora tão séria assim jamais houve,
em tempo cristão nem pagão.

Eram sérios até seus sapatos lustrosos,
pretos, de ilhoses e cordão.

E era o mais sério dos guarda-chuvas holandeses
o que apertava na séria mão.

Meias pretas, vestido cinza – tudo tão sério! –
chapéu preto sem guarnição.

Nenhuma pintura, nenhum artifício no sério rosto:
a natureza sem ilusão.

Pés juntos, mãos juntas, cabeça direita,
olhar livre de sedução.

A senhora tão séria levava ao pescoço
duas raposinhas de estimação.

E as raposinhas riam com todos os dentes,
na viagem de Haia para Amsterdão.

Se a senhora tivesse reparado nisso,
não as levaria pelos ombros, não.

Holanda, 1953

Interlúdio terrestre

Sentaram-se em redor da mesa ainda com os cabelos ásperos,
a pele curtida de frio, sol, sal, tempo.
Um punhado de homens diferentes dos de hoje:
– como gente do século quinze.

Misturaram-se a eles umas rudes mulheres,
também de cabelos ásperos,
também de pele fosca e ruiva,
e os seus sorrisos não tinham nada com o que se chama sorriso,
e os seus gestos eram recatados como num concílio remoto e grave.

Falavam numa língua que só eles entendiam.
Se é que entendiam.
Umas interjeições quebradas e roucas.
E as sobrancelhas se erguiam numa expressão de irremediável perigo.

Como uns pássaros bruscos, de paragens ferozes.

Entretanto, todos empunharam um cálice de licor vermelho
como se fossem cantar sobre um sangue inimigo.
Mas não cantaram. Entreolharam-se, saudaram-se, beberam.
A mesa entre eles era uma praça de despedida.

Não chegava a ser alegre nem feliz: mas era como um rito.
Todos mergulhados em roupas estranhas:
– couros, oleados, lonas, lãs: – era difícil encontrar-se
o lugar da sua natureza humana.

Disseram: "São os pescadores que regressaram. E já tornam a partir."

Eram os pescadores de mar alto.
De baleias? de arenques? da morte na noite do mar sem fim?
Aquilo que vestiam era o barco, eram as cordas, as velas, as redes...
Era o mar com suas covas roxas e salgadas. Era o vento da solidão.

E aquelas mulheres eram apenas olhos e vozes de areias,
braços do porto, rochedos, aviso, espera, sinal.
Uma outra versão do mundo, oposta à morte. Uma resposta.

Fazia muito frio. A neblina tinha espessuras de multidão.

Tomaram outro cálice de licor.

As mulheres embrulharam-se nas roupas, como quem vai ficar.
Os homens esfregaram as mãos, como quem vai partir.

Isto foi certa tarde, numa cidade nórdica.
Eu apenas olhava: tudo era igualmente inumano.
Se tivesse de escolher, quereria, ao menos, partir.

Holanda, 1953

Catedral

Pisávamos claros brasões antigos.
Flores de heráldica e letras góticas.
O chão dos humildes passos dos vivos
era de velhas famas e glórias.
E ouvia-se um eco, alto e desolado,
alado e orante pelas abóbadas.

Purificada por aqueles crivos
de vidro, pedras e balaustradas,
a luz versátil esquecia as cores,
queria ser neutra, isenta de íris,
e sobre colunas, santos, altares,
dos ares baixava em areia baça.

Caía por cima do nosso corpo,
fina, impalpável, mas incessante,
e a nave era aquela imensa ampulheta
onde jazíamos soterrados
embora movendo o aparente vulto
e oculto o sonho – que é cruz tão grande!

E a madeira fosca e as pedras sem brilho
e o perfume da cera ainda morna,
– e umbrais de penumbra, e esfumada zoeira
de versículos, salmos, antífonas,
gastos em séculos dilapidados,
dados à costa naquela areia morta...

Então, dos grandes, serenos escombros,
levantávamos a face vencida:
o olho de Deus, pintado no alto,
no fecho da sombra, solitário,
sem pálpebra, júbilo ou desgosto
via o nosso rosto, com sua pupila.

E por dentro dele vimos também o dia,
à luz da areia que desabava
sobre altares, colunas, santos e homens,
e no chão de cinza se entretinha
com letras góticas, flores de heráldica.

Vimos o que antes víramos. Apenas
são outras as cenas – depois do corpo e da alma.

Bois-le-Duc, Holanda, 1953

Meninos líricos

Em Roterdão, quando esperávamos o barco,
os dois meninos vieram brincar tão perto da água
que ficamos aflitos.

(Mas então não sabeis que aqui na Holanda
quem manda no mar é o homem?)

Os meninos não tinham qualquer companhia.
Conversavam com voz muito aguda, muito aguda na amplidão,
de plantas, bichos, campos, viagens...
Eram da cor das rosas, com cabelos de seda branca,
e um deles segurava um raminho de flores.

Conversavam como dois senhores
sobre o lugar em que se encontravam:
– apontavam a areia, a escada, a plataforma.
Pareciam dois engenheiros, dois capitães, dois prefeitos.

Afinal, o que tinha as flores
começou a varrer com elas,
delicadamente,
a rampa à beira d'água.

Pareciam dois poetas.
Sentaram-se no chão varrido com flores.
Com o raminho de flores.
Olhavam para o mar,
extremamente felizes.

Nem falavam mais:
pareciam dois anjos.

Holanda, 1953

Festa

Jardins de raciocínio:
teoremas de flor em flor.

Assim as pedras e a areia.

Agora, os cultivadores contentes meditam.
E as tulipas de todas as cores
tecem longos tapetes sossegados.

Carrilhões d'água, repuxos de música,
e um raio de sol desenhando hipotenusas
de canteiro em canteiro.

E pessoas de todas as idades
enternecendo-se entre as flores:
– Gente da Rainha Juliana, da Rainha Guilhermina,
do Príncipe Maurício de Nassau.

Em que malas portentosas se guardam secularmente
chapéus de plumas e altas golas de lã?

E pessoas de todas as idades vêm de suas cidades,
de seus campos, de canais e moinhos
para sorrirem sobre as flores.
Extasiadas respiram o mês de maio.
Explicam todos os matizes,
pregas de pétalas, peso do pólen,
com sua experiência de artesanato subterrâneo.

Jardins de raciocínio:
– axiomas de raiz em raiz.

Tão simples, tão cordial, a festa no jardim:
Sapatos como pedras passam como borboletas.
Os cultivadores sorriem.

O ano inteiro se trabalhou por esse sorriso.
Por esse tapete de flores.

E o raio de sol recolhe os seus desenhos,
sobe para o céu, perde-se na bruma
como frágil escada de ouro.

E os anjos da alegria, de asas abertas,
acompanham Descartes.

1953

Paisagem com figuras

O único ruído é o dos socos amarelos
do homem que vem carregando a pá.

As crianças brincam longe, como em silêncio.
Voam os laços no cabelo pálido.
Os vestidos azuis oscilam campânulas no prado.

A voz do vento é muito maior
que o seu movimento nas macieiras floridas.
Um passarinho cinzento brinca sozinho,
entre o telhado negro e os socos no limiar da casa.

Chaminés, chaminés,
janelas, cortinas, flores.

As crianças aproximam-se – e continuam remotas.
Correm atrás da bola – como do outro lado do mundo.
É a mesma coisa estar na aldeia
ou sonhar que se está na aldeia.

Meninas muito louras abrem portas,
entram e saem.
Suas mãos, suas orelhas, seus lábios,
tudo é rosa, gladíolo, coral...
Sua voz, o vento leva pela névoa, em finas borboletas...

Às vezes, o cão aparece e observa os arredores.
Outras, um carro assoma, e as crianças param,
e contemplam o galope do cavalo branco
e o seu bafo, no frio.

De repente, ouve-se um grande mugido,
e então recorda-se que a granja está perto,
e pensa-se em baldes espumosos,
no perfume dos estábulos,
e nos olhos atenciosos das imensas vacas malhadas...

Holanda, 1953

Shakúntala

Sentada estava Shakúntala,
enrolada em seus vestidos
de ouro e gaze carmesim.
E penteava o seu cabelo
de ébano e óleo, de óleo e de ébano,
com seu pente de marfim.

O sol subia nos ares
com mais rutilantes pétalas
que as rosas do seu jardim.
Mulheres de azul passavam,
jarras douradas para a água,
pés com solas de carmim.

E Shakúntala em silêncio
prendia nas tranças úmidas
alvos nastros de jasmim.
(Não viu princesa mais bela
pintor da Índia ou da Pérsia
que a moça diante de mim.)

Para quê pássaros, nuvens,
incenso por entre músicas
de flauta e de tamborim,
– se tudo isso era Shakúntala,
secando ao sol seu cabelo:
– moça efêmera e sem fim?

Infelizmente, falharam as fotografias

Infelizmente, falharam as fotografias,
e, assim, não me poderás ver diante do asceta
de roupa vermelha, à sombra do arco.

E assim não poderás ler na sua face:
"Que dizer, para que se entendesse...?"

Nem poderás ler na minha:
"Tudo entendido. Não se precisa dizer nada."

Mas as fotografias falharam.
E aquele momento já fugiu para trás, no caminho do tempo.
Aquelas duas sombras foram ficando cada vez mais longe.
A compreensão, que perdura, é sem retrato.

Castelo de Maurício

Entrai. Bem longe anda o cavaleiro.
Mas a armadura que vos recebe
com férreos lábios e espada antiga,
murmura histórias no curvo peito:
– longes paragens do mar descreve,
largas derrotas de fogo explica.

Subi. Panóplias que não se movem.
Tapeçarias pelas paredes;
– o Oriente – em velhas, pálidas tintas.
Veneza – a vaga sombra dos Doges.
Comércio. A tarde dourada e verde.
Fênix bordada. Memória e cinzas.

Parai. No baço, pequeno espelho
que a tarde mira, como, nos campos,
salgueiros sobre volúveis poças,
há róseos rostos, suaves cabelos,
golas rendadas e guantes brancos
e largos feltros de suaves sombras.

Passai, que ao longo dos corredores
ouvidos buscam, olhos esperam.
Claras figuras, de alma profunda,
choram por vida, belas e insones,
encarceradas em grandes telas,
com seus postigos de ouro e penumbra.

Olhai. Dos quatro cantos da sala,
acorda o bosque, trêmulo de ecos.
E olhos, focinhos, tortos chavelhos
cercam a rosa da madrugada
– guante, arcabuzes, galope, ferros –
sangue que abraçam pelas raízes.

Pensai: chegavam, claros e alegres,
e aqui bebiam por largos copos,
e aqui contavam glórias sangrentas...
Donos de todos os bens terrestres,
nunca sentiram mágoa ou remorsos
vendo as cabeças que nos contemplam.

Lembrai-vos que eram rudes, bravios,
que ainda comiam do que caçavam,
malgrado sedas, rendas e gemas...
E há muito tempo já não estão vivos,
e o lugar certo dessas caçadas
já ninguém sabe, ninguém se lembra...

Mas vede: há pouco, daquele lado,
naquele bosque, de luz tão pura,
chegaram duros homens de agora.
Firmaram armas, fitaram o alvo,
mataram homens sem qualquer culpa.
Vociferaram, cheios de glória.

E há sangue humano dentro dos troncos...
Por entre os galhos, rostos humanos.
Olhos, nas flores; lábios, no vento...
Os dias passam lentos e longos,
e aqueles mortos estão mirando,
e não sabemos o que estão vendo.

Parti! Deixai-nos. Quando passardes
de novo, em frente deste horizonte,
pelo castelo sobre a água e o bosque,
pensai nos tempos e nos lugares...
Pensai na caça. Pensai nos homens.
Pensai nas guerras. Pensai na morte.

       Bois-le-Duc, Holanda, 19, maio, 1954

Estudo de figura

Em lã pesada e escura,
esconde-se Maria,
malgrado o ardente dia.

Tão cerrada clausura
pesa sobre Maria,
sem a tornar sombria!

Nessa densa espessura,
o rosto de Maria,
redondo e róseo, abria

uma eglantina pura.
(Nos olhos de Maria,
luz de abelhas corria.)

De lã pesada e escura,
vinha a voz de Maria:
água, vento, alegria...

Cântico à Índia pacífica

Os que nunca te viram,
de longe, por ti perguntam,
ó Índia remota,
como se houvessem desde sempre sonhado contigo!
Apenas de terem ouvido falar de tua pobreza, de teus sofrimentos
e de teus sucessivos sacrifícios para uma vitória difícil,
contemplam-te,
ó Índia,
com a esperança de quem vê em ti uma transcendente pátria.

Os que te conhecem,
guardam para sempre o coração enternecido,
ó Índia paciente,
pois sabem dos vastos limites dos teus dramas,
e admiram os caminhos que procuras
para a conquista de uma felicidade sábia:
– aquela felicidade,
ó Índia,
que se constrói com a disciplina da alma,
e, por ser alta, é íngreme, e, para vencer o tempo,
é vigorosa e suave, alerta, firme e diligente.

Haverá um dia
em que a glória dos homens, dos povos e dos Estados,
ó Índia triunfante,
não se medirá por outro poderio senão o da sua virtude.
Nesse dia, os reinados do orgulho e da violência
parecerão selvagens,

ó Índia,
e seus galardões escurecerão, tristes e indignos.

Por isso, os que te amam,
embora não tenham nascido em ti,
ó Índia luminosa,
do horizonte de suas várias pátrias,
observam teu exemplo,
e por ele se rejubilam desde agora,
vendo antecipar-se em tua coragem, em teu trabalho,
ó Índia pacífica,
em tua força espiritual e em tua mansidão,
aquele retrato de um mundo que não envergonhará mais os homens
                                       [futuros,
quando, sozinhos, refletirem
sobre seus compromissos, na terra, com os outros homens,
e, dentro de si, com as leis profundas do invariável Deus.

                                                  Janeiro, 1956

Dois apontamentos para Fayek Niculá

I

Hoje eu quero cantar o jovem Fayek Niculá,
habitante de Guizé, ao pé do Nilo.
Era um menino de engenhosos dedos ágeis,
que à hora da infância, em que apenas se brinca,
aprendia a tecer, numa longínqua aldeia copta.
Quero cantar os olhos e os dedos atentos de Fayek Niculá.

Hoje eu quero cantar Fayek Niculá,
que amava pássaros e plantas,
e inventava garças em todas as posições,
e galos de penacho, e arbustos floridos
nas tapeçarias que eram o seu sonho e a sua escrita.
Quero cantar o gesto e a imaginação de Fayek Niculá.

Hoje eu quero cantar Fayek Niculá,
que morreu afogado no Nilo, o ano passado,
enquanto no tear o esperava o trabalho interrompido.
Era um moço que à hora da juventude, em que apenas se vive,
morreu naquelas águas de antigos lótus e papiros.
Hoje eu quero cantar, enrolado nessa tapeçaria líquida,
o desenho da alma e do corpo de Fayek Niculá.

Maio, 1956

II

Elegia do Tapeceiro Egípcio

Bela é a água que corre como a lã clara nos teares.
E vão passando os peixes, que deixam só diáfano esquema.

Leve é o giro das aves, recortado há cinco mil anos;
e as canas e a brisa inventam músicas fictícias
de aéreos estambres, na alta urdidura do tempo.

Grave é o corpo do jovem reclinado em vítreo silêncio,
pálido Osíris que o Nilo agasalha em sábias ondas.

Em seus olhos fechados, donos de cores e linhas eternas,
a memória mistura anjos, profetas e deuses.

Oh! entre esses calmos perfis parados nas ourelas,
o rio mostra ao tecelão a sua morte,
larga tapeçaria que apenas a alma contempla:

sob as canas e os pássaros e as lançadeiras dos peixes rápidos,
sob o dia, sob o mundo, na visão de cenas arcaicas,
o tecelão vai sendo também tecido.

Como a lã clara nos teares, bela e exata, a água que corre
vai bordando o seu vulto,
vai levando suas pálpebras e seus dedos...

Quem pode separar os fios da vida e os fios da água
neste desenho novo que está nascendo em lugar invisível...?

Maio, 1956

Pastoral I

Que pastoral é a minha, ao longo de campos decrépitos,
onde apenas um áspero vento vai tangendo a erva seca...

Oh, um campo sem flores nem grãos,
sem rebanho nem pássaro.

Iguais à erva seca são também meus cabelos,
e por eles o vento passa em música pequena.

E volto de longe, assim de mãos pobres,
com sementeiras vastas de lágrimas, apenas,
com rebanhos longos de pensamentos, palavras, sonhos.

Igual à erva seca é o meu vestido que o vento move
como para arrancá-lo também ao meu corpo.

Tão distraída vou que invento música e aboio,
sonho rodas imensas resvalando pela tarde,
e acaricio vãs imagens, mais frágeis que espuma e nuvem.

Ovelhas minhas, de terna mansidão,
suaves anhos, de ternos olhos,
não sois, não sois... – Perdoai que vos invente...

Vinde pela minha música, rodeai o amor que vos espera,
– pois, mais vã do que vós, nestes campos decrépitos,
me encontro, sem companhia e sem afeto,
nestes campos de vida renegada,
mas, se me faltais, ó imaginários!, morro de solidão,
e, se vos falto, na minha morte morreis...

(Igual à erva seca é o instante da existência,
mas esperamos que haja campos de primavera,
e rebanhos felizes...)

                                                                 1956

Pastoral II

Oh! os campos de amêndoa, e, pela colina,
os olivais!
Pastores antigos, que tanto queríamos,
já não aparecem mais.

Os castelos têm suas torres intactas
e suas portas.
Quanto às pessoas que cantavam aquelas cantigas,
essas, estão mortas.

Como a tarde, porém, é uma tarde de maio,
de memórias e flores,
sentiremos cantar e dançar pela relva
as sombras dos pastores.

Ouviremos o som de risos de água clara
entre amendoeiras e olivais.
Que sombras somos, também, com saudades felizes,
em jogos inatuais.

1956

Pastoral III

Sedosas vacas, majestosos cavalos:
o olor do campo é leite e néctar,
que o dourado crepúsculo embalsama.

Tempo de flores, repentino como um rápido olhar.

Mulheres e homens satisfeitos
com as mãos de coral, felizes,
afagam folhagens e carros,
como Deus, no último dia da Criação.

                                                    1956

Pastoral IV

As portuguesinhas vêm de longe, cantando.
Enroladas em lãs escuras, tão bem enroladas,
ai! as portuguesinhas são borboletas vermelhas e azul-marinho
que acabam de aparecer.

As portuguesinhas vêm de longe, cantando.
Tão enroladas nas lãs escuras, tão enroladas,
ai! as portuguesinhas são um ramo de andorinhas,
azuis e negras e brancas e rápidas.

As portuguesinhas vêm de longe, cantando.
Dentro das lãs, brilham seu rosto e suas mãos:
ai! as portuguesinhas são roseiras floridas,
presas em muita folhagem.

Ai, os olhos das portuguesinhas são de sílex
e vêm batendo fogo, e abrindo centelhas
na rima das cantigas, no ritmo da marcha,
ao longo da mansa estrada anoitecente.

1956

Pastoral V

Na Ilha que eu amo,
na Ilha do Nanja, que eu tenho no meio do Atlântico,
há veredas de hortênsias,
lagos de duas cores,
nascentes de água fria, morna e quente.
Doce Ilha que foi de laranjas
e hoje é de ananases!
Ilha do Nanja.

Robustos homens, que devem ser meus parentes,
levam seus carros de vime
pela tarde de chuva e sol,
de vento e névoa,
porque a Ilha tem todos os tempos em cada instante.

Por uns caminhos chamados canadas,
os homens de carapuça olham a tarde,
como quem não sabe se amanhã está vivo.

Porque a Ilha está pousada em fogo,
cercada de oceano,
e seu limite mais firme é o inconstante céu.

E os homens detêm-se a ouvir vozes de vulcões,
vozes de sereias,
vozes da lua,
na Ilha do Nanja.

Na Ilha que eu amo,
na Ilha que eu tenho no meio do Atlântico,
todos são muito pobres,
mas já nem pensam nisso.

As mulheres tecem panos,
enrolam novelos,
enquanto os maridos estão lutando com as chamas
dos fornos onde cozinham sua louça,
ou tangendo ao longo dos muros
carros e carros de solidão,
com cestos e cestos de silêncio.

              1956

Pastoral VI

Amanhã irão os vitelos
por esses campos floridos.
Vitelos recém-nascidos.

E conhecerão as ervinhas
que são verdes e orvalhadas
e as papoulas encarnadas.

E conhecerão os arroios,
com seus mil espelhos vivos,
animados, sucessivos.

E conhecerão o ar e os montes,
e a nuvem límpida em torno,
o mundo do sol, tão morno.

Amanhã irão os vitelos
fazer o descobrimento
da terra, da água e do vento.

E no seu redondo silêncio
estarão de olhos abertos,
tão divinamente incertos

como antes, quando se encontravam
no escuro ventre fecundo,
do lado oposto do mundo.

1956

Pastoral VII

Terra seca de Espanha,
amarela e arenosa
por onde um velho carro passa...
– Para onde? – neste deserto...
Nem chuva nem rio,
nem suor, nem lágrima,
poderão abrir aqui uma breve flor.

Terra muito gasta, onde até o sol fica triste.
Terra, no entanto, dourada como um campo maduro.

Ó solidão por onde voam, muito longe, antigos ecos!...

Para-se, como quem encontra, de repente, um morto,
e ouve, ao mesmo tempo, uma ruidosa festa,
com pandeiros e vozes,
num jardim de repuxos e fitas.

Pastoral VIII

Tardes da Índia, quando para o trabalho em redor do poço;
as mulheres voltam do campo,
encarnadas e azuis, carregadas de joias,
com um sopro de brisa na asa da roupa,
uma centelha de sol no bojo dos jarros.

As mulheres trazem fábulas novas de pavões e elefantes,
alguma cantiga inventada ao crepúsculo,
o ritmo do dia no seu coração.

Separam-se à entrada da aldeia cinzenta,
quando chegam também os vagarosos carros
com esses búfalos imensos que as crianças abraçam.

Exíguas luzes começam a brilhar.
As meninas vêm ouvir histórias sob as árvores,
e um suspiro de música vai bordando a sombra,
levemente,
sem que se saiba de onde vem, de quem.

Maiores que as luzes da terra, as estrelas passam...
pelas cabanas, pelas torres, pelos zimbórios...
sem que se saiba desde quando, até quando...

As mulheres passam também, cintilantes e calmas,
próximas e meigas,
na sombra dos pátios.
Uma grandiosa pobreza se reclina em sono e sonho:
– "Era uma vez a princesa Sita..."

O dia roda sua porta vagarosa.
Olhos cheios de eternidade avistam outros campos
dentro da noite:
tão longos, tão longe...

Canção fluvial

Barquinhos do Tejo,
dizei-me de longe
não as coisas de hoje,
mas as coisas de ontem:
rostos que não vejo
do que existe e foge,
que apenas se sonhem
e que mal se contem,
barquinhos do Tejo.

De que praia, que rocha, que monte,
barquinhos do Tejo,
em que mar, em que céu, o desejo
avista horizonte?

                                                1957

Festa dos tabuleiros em Tomar

As canéforas de Tomar
levam cestos como coroas,
como jardins, castelos, torres,
como nuvens armadas no ar.

Estas gregas do Ribatejo,
nesta procissão, devagar,
não são apenas de Tomar:
são as canéforas dos tempos...

Para onde vão, com o mesmo andar
de milenares portadoras,
levando pão, levando flores,
as canéforas de Tomar?

Para que sol, para que terra,
para que ritos, a que altar,
as canéforas de Tomar
os primores do mundo levam?

O pombo cristão vem pousar
no alto dos cestos: pães e rosas
ides dar aos presos e aos pobres,
ó canéforas de Tomar?

Um soldado santo

Agora é santo, o soldado
supliciado.

Contemplai:
o que segura nos dentes
parece uma flor – e é um ai.

E entre as pálpebras descidas,
no olhar guardado,
aparecem muitas vidas
e terrenos incidentes.

Agora é santo, o soldado,
e seu rosto, belo e isento,
belo e puro.
Seu corpo, um tranquilo muro
tranquilo e forte,
por onde resvala o vento
– inutilmente – da morte.

Assim de seda vestido,
repousando em santidade
longe daquela cidade
em que foi nado
e querido
e supliciado,
se sonhasse, choraria,
por muitos rostos antigos,

seus amores, seus amigos,
modelos de cinza fria.

Que agora é santo, o soldado,
morto e vivo,
– mas de tristeza cativo,
pois só ele foi chamado
e escolhido,
e jaz em glória, – humilhado
de assim ter sobrevivido.
(Prêmio que não ousaria.)

Ó mistério soberano
do céu sagrado,
áureas leis onipotentes!
Que seja santo o soldado,
e assim se conserve humano.

A alma em festas excelentes,
aureolado, promovido;
mas no corpo, contemplai:
que ainda conserva entre os dentes
como aérea flor, um ai.

Porto Rico, 1957

Pedras de Jerusalém

Pedras de Jerusalém,
que ouvidos sois,
vós que ouvistes Isaías!

Que olhos sois, pedras de Jerusalém,
vós que vistes um homem grave, por essas veredas,
coroado e vestido de rei, com uma cruz às costas...

Aqui estamos transidos na noite, e atentos.
A pedra dos nossos olhos e a dos nossos ouvidos
procura esses acontecimentos,
de tão longos vestígios.

Pensar que devia ser assim
e não se quereria que fosse assim...

E que este tem sido o luar.
E esta a cor das oliveiras.
E por esta vastidão de montes e vales
há sombras e vozes de anjos!

Pensar que tudo isso foi há muitos séculos!
E que todos os dias pensamos nisso,
nós, criaturas de pensamentos inconstantes,
de dispersivos olhos e esquecedor coração!

1958

Saudação a Eilath

Agora, quando penso em ti, ó Eilath,
é como se nunca te houvesse visto, mas apenas sonhado.
Sonhado um sonho marinho.

Ias para o Mar Vermelho como um fino barco,
de areias coloridas:
e tuas velas eram de céu azul, com estrelas bordadas.

Para um lado, a Jordânia,
para o outro, o Sinai.
A lua cercava-te de muralhas cambiantes,
que passavam de vermelhas a azuis,
a roxas, a verdes, com sinais de prata.

Naquele tempo, ó Eilath,
tuas ruas eram de areia,
tuas palmeiras do tamanho de crianças.
A brisa espalhava seus cabelos verdes
e dançava com elas, amorosamente.

Levantavam-se do mar vozes e gestos:
que estranhas coisas saíam do fundo das águas?
Muita gente se inclinava para vê-las.
Que era? que tinha sido?
Pescarias de assombro, como se nascessem esfinges
das ondas.

À noite, íamos pelo teu mar, ó Eilath,
pensando em coisas acontecidas em velhos tempos,

quando Deus e os homens conversavam diariamente.
Curvados sobre a sua transparência,
não víamos, ó Eilath, os soldados de Faraó,
mas os jardins submarinos, de bosques flácidos,
com adeuses de cactos e orquídeas,
passeios de peixes silenciosos
entre luares de sono,
no mundo dos corais, das anêmonas, das esponjas.

Quando penso em ti, ó Eilath,
eu mesma estou sonhando entre as ondas.
E alguém me diz: "Olha as areias coloridas!"
e eu vejo areias azuis, vermelhas, violáceas, douradas,
que passam pelos meus olhos como um fogo de artifício.

Alguém me diz: "Olha também as pedras finas!"
e eu vejo como turquesas, como jade, como pórfiro
em muros imaginários, por imaginários caminhos.

Alguém me diz: "Olha os monstros do mar!"
e eu vejo essas grandes ossadas, esses temíveis dentes;
mas ao lado estão peixinhos leves como borboletas,
e conchas frisadas, róseas e brancas,
– como duras pétalas.

Agora, quando penso em ti, ó Eilath,
penso no teu vastíssimo vento,
aquele vento que se levanta à noite
grave e poderoso como um oceano de ar:
não o que brinca pelas ruas de areia
com as palmeirinhas infantis, verdes e tenras.

Penso no teu grande vento
que cheira a sal, a abismo, a terebinto,
a deserto, a céu.

Falava muito alto, o vento, numa linguagem antiga.
E dizia-me assim: "Meu nome é *Ruach*..."

(Era Ruach... – o ar, o sopro, a respiração, o fantasma...
Era a alma, o espírito, a consciência...
Era o vento do Eilath, carregado de lembranças
e presságios.

O vento que conhecera os barcos de Salomão
em Esion-Gaber...
O vento que fechara decerto os olhos da Rainha de Sabá,
que a impelira, com seus aromas,
até o trono de Jerusalém...

Era o vento que sacudia a cidade adormecida,
sem que as crianças o ouvissem.
O vento que mirava também dentro das águas
os jardins submarinos,
que procurava na terra os oásis, as tamareiras,
as plantações recentes de Israel.

O vento que batia nas rochas de cobre,
por onde se perdiam os trilhos de um pequeno trem,
como para uma viagem a outro mundo,
pela alma secreta dos metais.)

Quando agora penso em ti, ó Eilath,
penso que estou sonhando,
que vou nos braços desse teu vento que diz:
"Meu nome é *Ruach*..."
Que esse vento é a tua vela,
que tu és o próprio barco de Salomão,
que estamos viajando sem data nem planeta:

e que vais para algum lugar
e que eu estou aqui apenas para cantar-te,
para que sonhem contigo os que não te viram,
e assim continuem a sonhar, quando te chegarem a ver.

Maio, 1959

Rua dos rostos perdidos

Este vento não leva apenas os chapéus,
estas plumas, estas sedas:
este vento leva todos os rostos,
muito mais depressa.

Nossas vozes já estão longe,
e como se pode conversar,
como podem conversar estes passantes
decapitados pelo vento?

Não, não podemos segurar o nosso rosto:
as mãos encontram o ar,
a sucessão das datas,
a sombra das fugas, impalpável.

Quando voltares por aqui,
saberás que teus olhos
não se fundiram em lágrimas, não,
mas em tempo.

De muito longe avisto a nossa passagem
nesta rua, nesta tarde, neste outono,
nesta cidade, neste mundo, neste dia.
(Não leias o nome da rua, – não leias!)

Conta as tuas histórias de amor
como quem estivesse gravando,
vagaroso, um fiel diamante.
E tudo fosse eterno e imóvel.

New York, 1959

Os chineses deixaram na mesa

Os chineses deixaram na mesa
uma leve pastelaria:
enxuta, frágil, levemente doce,
dentro da qual se encontravam
pequenas mensagens.

Parecia a imagem de um poema.

New York, 1959

Rios

Agora é o Hudson:
sempre uma parede de vidro
e o Mágico desencantando os mortos
– aqueles mortos que um dia amamos tanto
que nem queremos mais que estejam vivos.
(Resguardemo-los em suas mortalhas de sempre-amor,
livres do peso das ressurreições!)

Agora, pois, é o Hudson.
Poderia ser o Ganges, o Eufrates,
ou mesmo o modesto arroio que passa pela minha rua.

Há uma água que corre constantemente
em redor do que sonhamos
e canta o que perdemos.

Fluida lágrima inevitável
a levar para longe
o que estamos sendo e já não sendo.
Correnteza de fonte secreta
para oceanos gerais
onde brancas embarcações se imobilizam
de mastros no céu, de âncoras no sal.

Mas é apenas o Hudson.
Todos pensam que é apenas um rio.
E pode ser uma história, uma noite,
entre as mil noites do mundo.

New York, outubro, 1959

O aquário

Com a nossa imagem vária, cômica e divina.
O nosso perfil extasiado, interrogativo, inerme.
As pobres asas da água, esforçadas e insuficientes.
Os nossos graves olhos, com suas turvas opalas.
E o silêncio.

Vamos, voltamos, de alto a baixo, – sozinhos.
Felizes, indiferentes, melancólicos.
Uma vez ou outra em cardumes – igualmente cegos.

Flutuamos, giramos, parecemos livres
e estamos presos na Onda.

A Onda é a ilusória liberdade em que palpitamos.

Somos de chumbo, de gaze, de ouro.
Temos dentes brancos, extenuados em arquejo ou sorriso.
Escama por escama resvalamos num tempo sem sol,
sem medida nenhuma.

Às vezes nos reproduzimos, nessa hidrosfera sem linguagem.
Mudos, surdos, cegos, dissolveremos a nossa existência.
Que a vida é um vagaroso suicídio, tímido e irreprimível.

Somos essa dolente fauna, essa desnudez, esse enigma.
Rastro que vive de ir morrendo, e às vezes brilha
com seus falsos metais, fingidos elmos e armaduras
para guerras inverossímeis.

E há uns rubis do dia, – que nem sabemos o que seja.

(Eram peixes enormes, no enorme aquário.)

Los Angeles, 1959

Sobre as muralhas do mar

Sobre as muralhas do mar
conversaremos.

Sobre as muralhas do mar, entre areias,
espumas, colunas,
o que passa e o que perdura.
Conversaremos.
Conversaremos de um tempo
que imaginamos.
Que não houve: azuis e verdes
caminhos, destinos, glórias.

Conversaremos.

Os muros do mar são altos.
E esquecemos.
E as perguntas ficam intactas,
não mudadas em respostas.

Como é o som das palavras sobre as ondas?
E um riso de asas, de brisas
de uma alegria selvagem escutaremos.
No longínquo mar das almas.

Não conversaremos.

Los Angeles, 1959

Bela cidade de prata, pálida

Bela cidade de prata, pálida,
toda de triângulos, esguia, cônica,
bela cidade que o rio enlaça,
que a lua vela, que o álamo embala,
cidade fechada, cidade calada
como um castelo, quem é que passa,
tarde na noite, pelo silêncio,
com a sombra nas plantas, com a sombra nos muros,
com a sombra nas portas e pelas vidraças?

Quem é que para à margem do rio,
para ouvir o som das águas noturnas,
breves, suspirando, frias, entre as ervas,
por baixo das pontes, perdendo-se em negro,
achando-se em luz, segredosa e viva,
ainda acordada na noite redonda,
na noite da lua, do álamo e das casas,
com tantos ferrolhos, ferrolhos e trancas,
fechaduras, chaves, correntes, cadeados...?

Quem é que atravessa jardins, alamedas,
hortas e pomares, e pontes e pátios,
quem sobe as escadas, quem sai pelos tetos,
quem fala, quem canta, quem leva nos braços
amadas e mortos? quem chora, quem dança,
quem diz as palavras que não têm sentido?
Que abraços são esses? que olhares? que fatos
acontecem, fluidos, entre a lua e a terra,

entre a lua e o sol, entre o sol e o tempo,
como se a cidade estivesse aberta,
e homens e mulheres, todos acordados,
com mortos que vivem, com vivos que morrem,
assuntos que apenas são sempre impossíveis,
que é tudo impalpável, por dentro de pálpebras,
dentro de paredes de pedras espessas,
de portas fechadas, de janelas duplas,
com muitos ferrolhos, com trancas e chaves,
com o álamo atento, a lua de ronda,
a líquida cerca do rio correndo,
e a noite igualmente diáfana e compacta,
a noite dos homens, a noite da terra,
a noite da vida tão grande, suspensa
no vago planeta incomunicável
suspenso entre abismos, plantado de enigmas,
nascimentos, mortes, e sonhos dormidos,
sonhos acordados, de estranhos motivos.

                                                    1960

Dança cósmica

De Norte a Sul, ao longo dos muros esculpidos,
em cada cidade, aldeia ou tribo,
a Índia está dançando a infinita dança:
a instabilidade é o equilíbrio da Criação.

Um mover de mãos é paz ou amor,
fúria ou coragem,
águia ou leão, tigre ou serpente.

Um mover de mãos é trovão ou relâmpago,
e a chuva cai e as flores se abrem de dedo em dedo.

As mãos são bandeiras ou cisnes,
os olhos transmitem recados sem palavras,
cada atitude é um episódio:
da cabeça aos pés os dançarinos se transfiguram em ritmo,
e os próprios deuses dançam com eles,
porque o ritmo é a respiração dos mundos.

Nataraja, o Senhor dos Dançarinos, o Rei dos Atores
dança no centro do universo
com seus quatro braços abertos:
uma das mãos segura o tambor;
a outra levanta o fogo;
a terceira diz: "Não tenhais medo!"
E a quarta aponta o demônio esmagado sob o seu pé direito.

Nataraja dança, invisível e visível,
e de Norte a Sul a Índia acompanha o seu dançar:

numa nuvem de ouro vão e voltam, nos véus bordados,
a vida ilusória e o sonho imortal.

1962

Tempo

Tempo em que a aldeia rescendia a incensos,
e o músico de longas barbas brancas discorria sobre as cordas
de instrumentos arcaicos.

Tempo em que se sentia a solidão
como em seda desdobrando-se:
o palácio de mármore, a gota d'água, o luar
imenso.

Tempo em que eu podia viver como se ninguém me visse,
passando pelos jardins como a sombra da nuvem.

Tempo em que os camelos da cor da poeira
levantavam-se nos campos meio sonâmbulos.

Em que os pavões passavam pelo ar da tarde
como um vento azul carregado de relâmpagos de ouro.

Outubro, 1962

Pequena suíte

I

Sfad, com crianças azuis e vermelhas
colhendo flores na beirada das ruas.

Haifa, pálida de vento,
com as pálpebras bordadas de ciprestes.

Cesareia com suas estátuas decapitadas
recebendo os dias no salão do tempo.

São João de Acre e os sonolentos pescadores
no berço dos grandes barcos pintados na areia.

Nazaré com a sombra dos Anjos
dourando a escuridão das tendas dos cutileiros.

Sodoma brilhando ao sol, como um anel policromo,
fulgurante, mineral e maldita.

Jerusalém coroada com o seu nome
e o azul do céu sobre as asas abertas dos Salmos.

27, maio, 1962

II

KINNERETH

Kinnereth, cítara azul de água
e som de brisa e azul distância.

Os peixes contam em bolhas sua genealogia.
Pensativos olhos submarinos. E sobressaltos.

De que lado Simão apareceria,
tímido de nudez, saudoso de milagres?

Azul cítara de água e som de brisa:
as árvores desprendem folhas vermelhas, como breves setas.

Bem-aventurança do céu, do monte, das pedrinhas
do chão, da erva das margens, da onda tranquila.

Nuvens formam rostos humanos, vultos, grupos,
movimentos de ouro e bruma entre a água e as montanhas.

Ninguém passa. Talvez ainda os pescadores antigos voltem.
Talvez as Palavras se levantem vivas e encham a solidão.

III

São João pequenino

Na porta azul, o menino moreno
espera com os olhos São João pequenino.

Espera-o nascido na rocha,
ainda infante, enrolado em panos.

Ele virá daqui a pouco, por esta ladeira,
já crescido, com pupilas de tanta vidência,

com lábios tão bem recortados para falar ao deserto,
com seu carneirinho e sua cruz.

Virá brincar aqui na soleira da porta
com pedrinhas e conchas da terra.

O menino moreno espera-o, calado, quieto,
com os olhos na sua casa e as mãos disponíveis.

Como demora São João pequenino! Que será que diz, quando fala?
Que será que vê, quando olha para as montanhas?

Maio, 1962

Breve elegia ao Pandit Nehru

Uma pequena rosa para aquele que gostava de trazer um botão de rosa ao peito. Para aquele que trazia uma rosa no coração, aberta a generosos ventos. Uma pequena rosa.

Um pensamento belo para aquele que só entendia a vida quando inspirada por um sopro de beleza. Para que assim também se entenda a morte, um pensamento belo.

Uma luz para aquele homem de cristal que brilhava entre os esmaltes verdes e azuis dos jardins. Que parava, afetuoso, diante dos lótus amados, no seu mundo de água. Uma clara luz.

Um silêncio para o herói de tantas batalhas, nos combates da Liberdade. Um silêncio para o que tornou próximo de todos o seu país distante, e amado por todos o seu povo mal conhecido. Um silêncio para o herói que se foi reunir aos outros heróis da Índia; pois este é o momento dos grandes encontros, da ressurreição, da permanência. E esta é uma assembleia imortal. Um silêncio.

Uma pequena rosa. Um pensamento belo. Uma luz. Um silêncio.

Uma coroa para a alma do Pandit Nehru.

28, maio, 1964

Cronologia

1901

A 7 de novembro, nasce Cecília Benevides de Carvalho Meirelles, no Rio de Janeiro. Seus pais, Carlos Alberto de Carvalho Meirelles (falecido três meses antes do nascimento da filha) e Mathilde Benevides. Dos quatro filhos do casal, apenas Cecília sobrevive.

1904

Com a morte da mãe, passa a ser criada pela avó materna, Jacintha Garcia Benevides.

1910

Conclui com distinção o curso primário na Escola Estácio de Sá.

1912

Conclui com distinção o curso médio na Escola Estácio de Sá, premiada com medalha de ouro recebida no ano seguinte das mãos de Olavo Bilac, então inspetor escolar do Distrito Federal.

1917

Formada pela Escola Normal (Instituto de Educação), começa a exercer o magistério primário em escolas oficiais do Distrito. Estuda línguas e em seguida ingressa no Conservatório de Música.

1919

Publica o primeiro livro, *Espectros*.

1922

Casa-se com o artista plástico português Fernando Correia Dias.

1923

Publica *Nunca mais... e Poema dos poemas*. Nasce sua filha Maria Elvira.

1924

Publica o livro didático *Criança meu amor...* Nasce sua filha Maria Mathilde.

1925

Publica *Baladas para El-Rei*. Nasce sua filha Maria Fernanda.

1927

Aproxima-se do grupo modernista que se congrega em torno da revista *Festa*.

1929

Publica a tese *O espírito vitorioso*. Começa a escrever crônicas para *O Jornal*, do Rio de Janeiro.

1930

Publica o poema *Saudação à menina de Portugal*. Participa ativamente do movimento de reformas do ensino e dirige, no *Diário de Notícias*, página diária dedicada a assuntos de educação (até 1933).

1934

Publica o livro *Leituras infantis*, resultado de uma pesquisa pedagógica. Cria uma biblioteca (pioneira no país) especializada em literatura infantil, no antigo Pavilhão Mourisco, na praia de Botafogo. Viaja a Portugal, onde faz conferências nas Universidades de Lisboa e Coimbra.

1935

Publica em Portugal os ensaios *Notícia da poesia brasileira* e *Batuque, samba e macumba*.

Morre Fernando Correia Dias.

Nomeada professora de literatura luso-brasileira e mais tarde técnica e crítica literária da recém-criada Universidade do Distrito Federal, na qual permanece até 1938.

1937

Publica o livro infantojuvenil *A festa das letras*, em parceria com Josué de Castro.

1938

Publica o livro didático *Rute e Alberto resolveram ser turistas*. Conquista o prêmio Olavo Bilac de poesia da Academia Brasileira de Letras com o inédito *Viagem*.

1939

Em Lisboa, publica *Viagem*, quando adota o sobrenome literário Meireles, sem o *l* dobrado.

1940

Leciona Literatura e Cultura Brasileiras na Universidade do Texas, Estados Unidos. Profere no México conferências sobre literatura, folclore e educação.

Casa-se com o agrônomo Heitor Vinicius da Silveira Grillo.

1941

Começa a escrever crônicas para *A Manhã*, do Rio de Janeiro. Dirige a revista *Travel in Brazil*, do Departamento de Imprensa e Propaganda.

1942

Publica *Vaga música*.

1944

Publica a antologia *Poetas novos de Portugal*. Viaja para o Uruguai e para a Argentina. Começa a escrever crônicas para a *Folha Carioca* e o *Correio Paulistano*.

1945

Publica *Mar absoluto e outros poemas* e, em Boston, o livro didático *Rute e Alberto*.

1947

Publica em Montevidéu *Antologia poética (1923-1945)*.

1948

Publica em Portugal *Evocação lírica de Lisboa*. Passa a colaborar com a Comissão Nacional do Folclore.

1949

Publica *Retrato natural* e a biografia *Rui: pequena história de uma grande vida*. Começa a escrever crônicas para a *Folha da Manhã*, de São Paulo.

1951

Publica *Amor em Leonoreta*, em edição fora de comércio, e o livro de ensaios *Problemas da literatura infantil*.

Secretaria o Primeiro Congresso Nacional de Folclore.

1952

Publica *Doze noturnos da Holanda & O Aeronauta* e o ensaio "Artes populares" no volume em coautoria *As artes plásticas no Brasil*. Recebe o Grau de Oficial da Ordem do Mérito, no Chile.

1953

Publica *Romanceiro da Inconfidência* e, em Haia, *Poèmes*. Começa a escrever para o suplemento literário do *Diário de Notícias*, do Rio de Janeiro, e para *O Estado de S. Paulo*.

1953-1954

Viaja para a Europa, Açores, Goa e Índia, onde recebe o título de Doutora *Honoris Causa* da Universidade de Delhi.

1955

Publica *Pequeno oratório de Santa Clara, Pistoia, cemitério militar brasileiro* e *Espelho cego*, em edições fora de comércio, e, em Portugal, o ensaio *Panorama folclórico dos Açores: especialmente da Ilha de S. Miguel*.

1956

Publica *Canções* e *Giroflê, giroflá*.

1957

Publica *Romance de Santa Cecília* e *A rosa*, em edições fora de comércio, e o ensaio *A Bíblia na poesia brasileira*. Viaja para Porto Rico.

1958

Publica *Obra poética* (poesia reunida). Viaja para Israel, Grécia e Itália.

1959

Publica *Eternidade de Israel*.

1960

Publica *Metal rosicler*.

1961

Publica *Poemas escritos na Índia* e, em Nova Delhi, *Tagore and Brazil*.

Começa a escrever crônicas para o programa *Quadrante*, da Rádio Ministério da Educação e Cultura.

1962

Publica a antologia *Poesia de Israel*.

1963

Publica *Solombra* e *Antologia poética*. Começa a escrever crônicas para o programa *Vozes da cidade*, da Rádio Roquette-Pinto, e para a *Folha de S.Paulo*.

1964

Publica o livro infantojuvenil *Ou isto ou aquilo*, com ilustrações de Maria Bonomi, e o livro de crônicas *Escolha o seu sonho*.

Falece a 9 de novembro, no Rio de Janeiro.

1965

Conquista, postumamente, o Prêmio Machado de Assis da Academia Brasileira de Letras, pelo conjunto de sua obra.

Bibliografia básica sobre Cecília Meireles

ANDRADE, Mário de. Cecília e a poesia. In: _____. *O empalhador de passarinho*. São Paulo: Martins, [1946].

_____. Viagem. In: _____. *O empalhador de passarinho*. São Paulo: Martins, [1946].

AZEVEDO FILHO, Leodegário A. de (Org.). Cecília Meireles. In: _____. (Org.). *Poetas do modernismo*: antologia crítica. Brasília: Instituto Nacional do Livro, 1972. v. 4.

_____. *Poesia e estilo de Cecília Meireles*: a pastora de nuvens. Rio de Janeiro: José Olympio, 1970.

_____. *Três poetas de* Festa: Tasso, Murillo e Cecília. Rio de Janeiro: Padrão, 1980.

BANDEIRA, Manuel. *Apresentação da poesia brasileira*. São Paulo: Cosac Naify, 2009.

BERABA, Ana Luiza. *América aracnídea*: teias culturais interamericanas. Rio de Janeiro: Civilização Brasileira, 2008.

BLOCH, Pedro. Cecília Meireles. *Entrevista*: vida, pensamento e obra de grandes vultos da cultura brasileira. Rio de Janeiro: Bloch, 1989.

BONAPACE, Adolphina Portella. *O Romanceiro da Inconfidência*: meditação sobre o destino do homem. Rio de Janeiro: Livraria São José, 1974.

BOSI, Alfredo. Em torno da poesia de Cecília Meireles. In: _____. *Céu, inferno*: ensaios de crítica literária e ideológica. São Paulo: Duas Cidades/ Editora 34, 2003.

BRITO, Mário da Silva. Cecília Meireles. In: _____. *Poesia do Modernismo*. Rio de Janeiro: Civilização Brasileira, 1968.

CACCESE, Neusa Pinsard. *Festa*: contribuição para o estudo do Modernismo. São Paulo: Instituto de Estudos Brasileiros, 1971.

CANDIDO, Antonio; CASTELLO, José Aderaldo (Orgs.). Cecília Meireles. *Presença da literatura brasileira 3*: Modernismo. 2. ed. São Paulo: Difusão Europeia do Livro, 1967.

CARPEAUX, Otto Maria. Poesia intemporal. In: _____. *Ensaios reunidos*: 1942-1978. Rio de Janeiro: UniverCidade/Topbooks, 1999.

CASTELLO, José Aderaldo. O Grupo *Festa*. In: _____. *A literatura brasileira*: origens e unidade. São Paulo: EDUSP, 1999. v. 2.

CASTRO, Marcos de. Bandeira, Drummond, Cecília, os contemporâneos. In: _____. *Caminho para a leitura*. Rio de Janeiro: Record, 2005.

CAVALIERI, Ruth Villela. *Cecília Meireles*: o ser e o tempo na imagem refletida. Rio de Janeiro: Achiamé, 1984.

COELHO, Nelly Novaes. Cecília Meireles. In: _____. *Dicionário crítico da literatura infantil e juvenil brasileira*. São Paulo: Nacional, 2006.

_____. Cecília Meireles. In: _____. *Dicionário crítico de escritoras brasileiras*: 1711-2001. São Paulo: Escrituras, 2002.

_____. O "eterno instante" na poesia de Cecília Meireles. In: _____. *Tempo, solidão e morte*. São Paulo: Conselho Estadual de Cultura/Comissão de Literatura, 1964.

_____. O eterno instante na poesia de Cecília Meireles. In: _____. *A literatura feminina no Brasil contemporâneo*. São Paulo: Siciliano, 1993.

CORREA, Roberto Alvim. Cecília Meireles. In: _____. *Anteu e a crítica*: ensaios literários. Rio de Janeiro: José Olympio, 1948.

DAMASCENO, Darcy. *Cecília Meireles*: o mundo contemplado. Rio de Janeiro: Orfeu, 1967.

_____. *De Gregório a Cecília*. Organização de Antonio Carlos Secchin e Iracilda Damasceno. Rio de Janeiro: Galo Branco, 2007.

DANTAS, José Maria de Souza. *A consciência poética de uma viagem sem fim*: a poética de Cecília Meireles. Rio de Janeiro: Eu & Você, 1984.

FAUSTINO, Mário. O livro por dentro. In: _____. *De Anchieta aos concretos*. Organização de Maria Eugênia Boaventura. São Paulo: Companhia das Letras, 2003.

FONTELES, Graça Roriz. *Cecília Meireles*: lirismo e religiosidade. São Paulo: Scortecci, 2010.

GARCIA, Othon M. Exercício de numerologia poética: paridade numérica e geometria do sonho em um poema de Cecília Meireles. In: _____. *Esfinge clara e outros enigmas*: ensaios estilísticos. 2. ed. Rio de Janeiro: Topbooks, 1996.

GENS, Rosa (Org.). *Cecília Meireles*: o desenho da vida. Rio de Janeiro: Setor Cultural/Núcleo Interdisciplinar de Estudos da Mulher na Literatura/UFRJ, 2002.

GOLDSTEIN, Norma Seltzer. *Roteiro de leitura*: Romanceiro da Inconfidência de Cecília Meireles. São Paulo: Ática, 1988.

GOUVÊA, Leila V. B. *Cecília em Portugal*: ensaio biográfico sobre a presença de Cecília Meireles na terra de Camões, Antero e Pessoa. São Paulo: Iluminuras, 2001.

_____. (Org.). *Ensaios sobre Cecília Meireles*. São Paulo: Humanitas/FAPESP, 2007.

_____. *Pensamento e "lirismo puro" na poesia de Cecília Meireles*. São Paulo: EDUSP, 2008.

GOUVEIA, Margarida Maia. *Cecília Meireles*: uma poética do "eterno instante". Lisboa: Imprensa Nacional/Casa da Moeda, 2002.

_____. *Vitorino Nemésio e Cecília Meireles*: a ilha ancestral. Porto: Fundação Engenheiro António de Almeida; Ponta Delgada: Casa dos Açores do Norte, 2001.

HANSEN, João Adolfo. Solombra *ou A sombra que cai sobre o eu*. São Paulo: Hedra, 2005.

LAMEGO, Valéria. *A farpa na lira*: Cecília Meireles na Revolução de 30. Rio de Janeiro: Record, 1996.

LINHARES, Temístocles. Revisão de Cecília Meireles. In: _____. *Diálogos sobre a poesia brasileira*. São Paulo: Melhoramentos, 1976.

LÔBO, Yolanda. *Cecília Meireles*. Recife: Massangana/Fundação Joaquim Nabuco, 2010.

MALEVAL, Maria do Amparo Tavares. Cecília Meireles. In: _____. *Poesia medieval no Brasil*. Rio de Janeiro: Ágora da Ilha, 2002.

MANNA, Lúcia Helena Sgaraglia. *Pelas trilhas do* Romanceiro da Inconfidência. Niterói: EdUFF, 1985.

MARTINS, Wilson. Lutas literárias (?). In: _____. *O ano literário*: 2002--2003. Rio de Janeiro: Topbooks, 2007.

MELLO, Ana Maria Lisboa de (Org.). *A poesia metafísica no Brasil*: percursos e modulações. Porto Alegre: Libretos, 2009.

_____. (Org.). *Cecília Meireles & Murilo Mendes (1901-2001)*. Porto Alegre: Uniprom, 2002.

_____; UTÉZA, Francis. *Oriente e ocidente na poesia de Cecília Meireles*. Porto Alegre: Libretos, 2006.

MILLIET, Sérgio. *Panorama da moderna poesia brasileira*. Rio de Janeiro: Ministério da Educação e Saúde/Serviço de Documentação, 1952.

MOISÉS, Massaud. Cecília Meireles. In: _____. *História da literatura brasileira*: Modernismo. São Paulo: Cultrix, 1989.

MONTEIRO, Adolfo Casais. Cecília Meireles. In: _____. *Figuras e problemas da literatura brasileira contemporânea*. São Paulo: Instituto de Estudos Brasileiros, 1972.

MORAES, Vinicius de. Suave amiga. In: _____. *Para uma menina com uma flor*. Rio de Janeiro: Editora do Autor, 1966.

MOREIRA, Maria Edinara Leão. *Estética e transcendência em O estudante empírico, de Cecília Meireles*. Passo Fundo: Editora da Universidade de Passo Fundo, 2007.

MURICY, Andrade. Cecília Meireles. In: _____. *A nova literatura brasileira*: crítica e antologia. Porto Alegre: Globo, 1936.

_____. Cecília Meireles. In: _____. *Panorama do movimento simbolista brasileiro*. 2. ed. Brasília: Conselho Federal de Cultura/Instituto Nacional do Livro, 1973. v. 2.

NEJAR, Carlos. Cecília Meireles: da fidência à Inconfidência Mineira, do *Metal rosicler* à *Solombra*. In: _____. *História da literatura brasileira*: da carta de Caminha aos contemporâneos. São Paulo: Leya, 2011.

NEMÉSIO, Vitorino. A poesia de Cecília Meireles. In: _____. *Conhecimento de poesia*. Salvador: Progresso, 1958.

NEVES, Margarida de Souza; LÔBO, Yolanda Lima; MIGNOT, Ana Chrystina Venancio (Orgs.). *Cecília Meireles*: a poética da educação. Rio de Janeiro: Pontifícia Universidade Católica; São Paulo: Loyola, 2001.

OLIVEIRA, Ana Maria Domingues de. *Estudo crítico da bibliografia sobre Cecília Meireles*. São Paulo: Humanitas/USP, 2001.

PAES, José Paulo. Poesia nas alturas. In: _____. *Os perigos da poesia e outros ensaios*. Rio de Janeiro: Topbooks, 1997.

PARAENSE, Sílvia. *Cecília Meireles*: mito e poesia. Santa Maria: UFSM, 1999.

PEREZ, Renard. Cecília Meireles. In: _____. *Escritores brasileiros contemporâneos – 2ª série*: 22 biografias, seguidas de antologia. 2. ed. revista e atualizada. Rio de Janeiro: Civilização Brasileira, 1971.

PICCHIO, Luciana Stegagno. A poesia atemporal de Cecília Meireles, "pastora das nuvens". In: _____. *História da literatura brasileira*. Rio de Janeiro: Nova Aguilar, 1997.

PÓLVORA, Hélio. Caminhos da poesia: Cecília. In: _____. *Graciliano, Machado, Drummond & outros*. Rio de Janeiro: Francisco Alves, 1975.

RAMOS, Péricles Eugênio da Silva. *Solombra*. In: _____. *Do Barroco ao Modernismo*: estudos de poesia brasileira. 2. ed. revista e aumentada. Rio de Janeiro: Livros Técnicos e Científicos, 1979.

RICARDO, Cassiano. *A Academia e a poesia moderna*. São Paulo: Revista dos Tribunais, 1939.

RÓNAI, Paulo. O conceito de beleza em *Mar absoluto*. In: _____. *Encontros com o Brasil*. 2. ed. Rio de Janeiro: Batel, 2009.

_____. Uma impressão sobre a poesia de Cecília Meireles. In: _____. *Encontros com o Brasil*. 2. ed. Rio de Janeiro: Batel, 2009.

SADLIER, Darlene J. *Cecília Meireles & João Alphonsus*. Brasília: André Quicé, 1984.

_____. *Imagery and Theme in the Poetry of Cecília Meireles*: a study of *Mar absoluto*. Madrid: José Porrúa Turanzas, 1983.

SECCHIN, Antonio Carlos. Cecília: a incessante canção. In: _____. *Escritos sobre poesia & alguma ficção*. Rio de Janeiro: EdUERJ, 2003.

_____. Cecília Meireles e os *Poemas escritos na Índia*. In: _____. *Memórias de um leitor de poesia & outros ensaios*. Rio de Janeiro: Topbooks/Academia Brasileira de Letras, 2010.

_____. O enigma Cecília Meireles. In: _____. *Memórias de um leitor de poesia & outros ensaios*. Rio de Janeiro: Topbooks/Academia Brasileira de Letras, 2010.

SIMÕES, João Gaspar. Cecília Meireles: *Metal rosicler*. In: _____. *Crítica II*: poetas contemporâneos (1946-1961). Lisboa: Delfos, s.d.

VERISSIMO, Erico. Entre Deus e os oprimidos. In: _____. *Breve história da literatura brasileira*. São Paulo: Globo, 1995.

VILLAÇA, Antonio Carlos. Cecília Meireles: a eternidade entre os dedos. In: _____. *Tema e voltas*. Rio de Janeiro: Hachette, 1975.

YUNES, Eliana; BINGEMER, Maria Clara L. (Orgs.). *Murilo, Cecília e Drummond*: 100 anos com Deus na poesia brasileira. Rio de Janeiro: Pontifícia Universidade Católica; São Paulo: Loyola, 2004.

ZAGURY, Eliane. *Cecília Meireles*. Petrópolis: Vozes, 1973.

Índice de primeiros versos

A alma ao nível da terra:.. 59
A senhora tão séria sentou-se no trem 80
Agora é o Hudson:... 123
Agora é santo, o soldado 114
Agora, quando penso em ti, ó Eilath, ...117
Ai, pelo Old Square, ai, pelo Old Square, ... 17
Algum parente meu vai embarcar esta tarde? 79
Amanhã irão os vitelos 108
As canéforas de Tomar 113
As portuguesinhas vêm de longe, cantando. 105
As toucas de renda, ... 61
Barquinhos do Tejo, ... 112
Bela cidade de prata, pálida, ... 127
Bela é a água que corre como a lã clara nos teares 100
Brisa da beira do Minho, ... 62
Com a nossa imagem vária, cômica e divina. 124
Com palavras quase eruditas 53
De Norte a Sul, ao longo dos muros esculpidos, ... 129
Doce menina dos baldes, ... 60
Em lã pesada e escura, ... 96
Em Roterdão, quando esperávamos o barco, ... 85
Entrai. Bem longe anda o cavaleiro. 93
Entre as montanhas e o rio, ... 68
Este peso das casas, das pontes, dos arcos, ... 55
Este vento não leva apenas os chapéus, ... 121
Évora branca, marmórea, ebúrnea, ... 65
Fui visitar a Rainha, ... 63
Havia, na Suíça, a linda menina 76
Hoje eu quero cantar o jovem Fayek Niculá, ... 99
Infelizmente, falharam as fotografias, ... 92
Jardins de raciocínio: 87

Kinnereth, cítara azul de água... 132
Lá vai o negrinho de mãos nos bolsos,...72
Lua branca da Suíça,..75
Na Ilha que eu amo, ... 106
Na porta azul, o menino moreno 133
O garagista, meio louco,..73
O único ruído é o dos socos amarelos 89
Oh! os campos de amêndoa, e, pela colina,.. 103
Olhei as águas 23
Os azuis estão cantando...57
Os chineses deixaram na mesa 122
Os que nunca te viram,..97
Oysters. Oysters. Oysters. 19
Passam as meninas, ainda felizes 69
Pedras de Jerusalém,... 116
Pelo lado de cima,..78
Philip Muir cruza o Atlântico em seu navio..21
Pisávamos claros brasões antigos. 83
Que pastoral é a minha, ao longo de campos decrépitos,...................... 101
Sedosas vacas, majestosos cavalos:.. 104
Sentada estava Shakúntala,..91
Sentaram-se em redor da mesa ainda com os cabelos ásperos,................81
Sfad, com crianças azuis e vermelhas 132
Sobre as muralhas do mar... 126
Solidão, solidão que o vento navega:..67
Tardes da Índia, quando para o trabalho em redor do poço;................ 110
Tempo em que a aldeia rescendia a incensos,... 131
Terra seca de Espanha,.. 109
Uma pequena rosa para aquele que gostava de trazer um botão de rosa
    ao peito. Para aquele que trazia uma rosa no coração, aberta a
    generosos ventos. Uma pequena rosa.. 135
Uma pobre velhinha franzida e amarela 71
Viajante que seguiste...68

Impressão e Acabamento
Bartira
Gráfica
(011) 4393-2911